Manipuler, pourquoi et comment

Du même auteur
aux Éditions J'ai lu

Devenez mentaliste

Bastien Bricout

Manipuler, pourquoi et comment

Bienêtre

Collection dirigée
par Ahmed Djouder

« Je dédie ce livre à celle que j'aime
et qui accompagne ma vie chaque jour :
Aurélie, je t'aime. »

Introduction

Comme vous pouvez le constater, j'ai choisi de dédier ce livre à ma compagne. Si j'aime énormément Aurélie, je dois reconnaître qu'au quotidien, le couple est le lieu d'importantes manipulations. Je pense aux petites manipulations innocentes dont vous trouverez le détail dans ce livre et qui ont pour but d'obtenir une faveur ou tout simplement d'influencer une opinion : convaincre votre partenaire d'aller en vacances sur l'île de Malte alors qu'il/elle préfère la Grèce ; passer la soirée avec votre bande d'amis ; motiver votre partenaire sur un projet d'achat qui vous tient à cœur, etc. Bien sûr, il existe des manipulations plus graves : les librairies sont pleines de livres consacrés aux « pervers narcissiques » qui ont fait de la manipulation une arme de destruction massive !

Quand on pense à la manipulation, on pense souvent aux gourous des mouvements sectaires, aux hommes d'affaires sans scrupule, etc. Pourtant, la manipulation est beaucoup plus répandue qu'il n'y paraît. Elle fait pleinement partie du vivant, elle est au fondement même de la société.

La manipulation est d'abord une affaire collective. C'est un fait culturel et historique : religions, science et politique influencent les hommes depuis toujours. À l'époque où la religion était prédominante, le clergé manipulait les masses. Puis la science fut à la mode. De nos jours, les médias influencent des millions de personnes.

À titre individuel, l'être humain est fasciné par la manipulation. Aujourd'hui, les séries télévisées consacrées à la manipulation sont très populaires (*The Mentalist, Lie to Me*...). Dans les émissions de divertissement, la manipulation est aussi à l'œuvre. Dans *Secret Story*, les candidats (dont je fus) passent leur temps à se manipuler les uns les autres pour remplir leur cagnotte et rester le plus longtemps possible dans le jeu. Nous aimons ce type de divertissements basés sur l'influence et la manipulation. Nous adorons observer la manière dont telle ou telle manœuvre influence un protagoniste, le personnage d'un jeu. Bien sûr, avant la télévision, la littérature avait déjà traité de la manipulation. Je pense, par exemple, au *Roman de Renart*, célèbre récit médiéval qui raconte les ruses d'un renard sans cesse affamé, ou encore aux *Liaisons dangereuses*, roman épistolaire dans lequel la marquise de Merteuil et le vicomte de Valmont s'amusent cruellement à manipuler une jeune fille innocente, Cécile de Volanges, pour mieux la déshonorer.

Si la manipulation fascine, notamment par la part de noirceur qu'elle convoque, je dirai qu'au niveau relationnel (aussi bien que collectif d'ailleurs), la manipulation (ou influence) n'est ni bonne ni mauvaise : elle est neutre. C'est la façon dont nous l'utilisons qui l'oriente dans un sens positif ou négatif. Tous les jours, nous sommes obligés d'interagir avec les autres, et ces interactions multiples sont régies par des manipulations plus ou moins visibles.

Les meilleurs professionnels ou commerçants manipulent. Le psychanalyste, installé derrière vous sans parler alors que vous êtes allongé sur un divan, utilise un dispositif destiné à vous manipuler… et cela pour votre plus grand bien. Si votre boulanger annonce une promotion sur les croissants, vous êtes tenté d'en acheter, mais c'est peut-être une manipulation de sa part. Même chose si le vendeur d'un magasin de chaussures vous dit que c'est la dernière paire en stock : vraie ou fausse, cette information vous incitera peut-être à sortir votre portefeuille. Lorsqu'une mère de famille demande à son enfant de choisir entre ranger sa chambre ou ranger toute la maison, ou que vos voisins vous proposent de profiter de leur terrasse pendant leurs vacances (sous-entendu « et de garder le chat »), nous avons affaire à des techniques d'influence et de manipulation ordinaires. Les autres, quels qu'ils soient – votre enfant, votre amoureux, vos amis, vos clients – consentent librement, en apparence, à un choix, qui est bien plus contraint qu'ils ne l'imaginent…

Enfin, ne confondons pas manipulation et « manipulateurs ». Dans notre vie personnelle et professionnelle, la manipulation crée du jeu entre les individus. Ce n'est pas parce qu'on « manipule » de temps en temps ses collègues ou son amour qu'on devient un infâme manipulateur. Sans manipulation, plus d'interactions ! Imaginez-vous ne plus pouvoir demander un service à un proche ? Votre patron est-il un manipulateur parce qu'il vous propose de travailler trente minutes de plus chaque jour en étant mieux payé ? Sans manipulation, notre société serait bloquée, statique et sans aucune possibilité d'évolution.

Ce livre vous confrontera à vous-même : vous serez alternativement manipulateur et manipulé. En manipulation, il n'y a pas vraiment de gentils ni de méchants. À chaque instant, à chaque situation de la vie, tout le monde peut être manipulé ou « manipulant ».

Dans cet ouvrage, vous apprendrez à repérer des techniques de manipulation que vous connaissez parce que vous les utilisez régulièrement. Il s'agit ici exclusivement de manipulation positive, une forme de manipulation qui jamais ne heurte ni ne blesse les autres. Vous apprendrez également des techniques de persuasion ou de communication que vous ne soupçonnez pas, qui ont pu déjà vous influencer par le passé, et qui vous permettront de convaincre vos interlocuteurs, de séduire les personnes qui vous plaisent ou de gagner la confiance de quelqu'un. L'objectif de ce livre est aussi de vous révéler les ficelles de la manipulation afin que vous puissiez les repérer dans votre quotidien – et, si nécessaire, vous en protéger.

Bonne lecture à toutes et à tous.

1

Souriez, vous êtes manipulé

La technique du sourire

Tout le monde connaît Julia Roberts, cette actrice au sourire légendaire. Des milliers d'hommes et de femmes se sont laissés séduire par son sourire ravageur. Elle paraît si sympathique, si douce, si charmante ! Pourtant, dans la « vraie vie », elle ne serait pas toujours aussi charmante et enjouée. Elle serait même détestable avec son entourage. Comme quoi, un sourire enjôleur n'est parfois qu'une façade… ce qui en fait une arme de manipulation redoutable.

C'est prouvé !

Imaginez-vous installé tranquillement à la terrasse (plutôt vide) d'un restaurant. Vous apercevez le serveur, dont vous tentez désespérément de capter le regard. Au bout de cinq minutes, il finit par prendre sèchement votre commande… sans le moindre sourire. Vous pensez : « Quelle personne antipathique ! » Au moment de payer, vous ne lui laisserez aucun pourboire !

En effet, une étude de Tidd et Lokhard réalisée dans les années 1970 a révélé qu'une serveuse souriante recueille 3 fois plus de pourboires qu'une serveuse qui ne sourit pas !

En 1982, une autre étude (Lau) a montré qu'une personne souriante est perçue en général comme *amicale, sociable, intelligente et gentille.*

Enfin, en 1990, une troisième étude (Reis) a démontré que les personnes souriantes étaient non seulement perçues comme gentilles, mais aussi *plus sincères, plus indépendantes et plus compétentes*.

Sourire exprime la bienveillance. C'est un code social que nous avons adopté depuis longtemps et qui marche sur tous les continents.

Lors d'une première rencontre, les êtres humains ont tendance à se sourire mutuellement ! Ils ont envie de se plaire, de s'apprécier et que la relation fonctionne.

Le sourire est votre carte de visite. C'est ce qu'on perçoit en premier de vous, et chacun sait qu'il est essentiel de faire bonne impression dès le premier contact !

Paraître sympathique, c'est la première étape pour obtenir un *oui* de quelqu'un.

La technique en bref

Sourire permet de paraître ouvert et sympathique. Les êtres humains sont extrêmement sensibles au sourire d'autrui. D'ailleurs, plus le sourire est grand et plus l'effet positif est ressenti !

Dans votre vie sociale et professionnelle, n'hésitez donc pas à sourire fréquemment. Vous serez étonné par la puissance de cette technique si simple.

Pourquoi ça marche ?

Le sourire est instinctif, il exprime notre humanité et nous distingue des animaux, qui peuvent exprimer la joie ou le contentement... mais pas ce sourire « social » qui masque parfois bien des choses. À la télévision, avez-vous remarqué combien les présentateurs sourient tout le temps ? Ils font la fortune des dentistes avec leurs belles dents blanches. Ils ont besoin de plaire à des millions de personnes ! Pourtant, tout le monde sait que ce sourire n'est pas forcément sincère.

Le sourire est « social ». En effet, nous sommes tous capables de sourire, même si nous n'en avons pas envie. Quant à nos interlocuteurs, nous voir sourire leur permet de se sentir immédiatement plus détendus, plus attirés par nous et mieux disposés à notre égard.

Avez-vous remarqué, face à quelqu'un qui ne sourit pas souvent (voire jamais), combien nous pouvons nous sentir mal à l'aise ?

Enfin, dernier avantage du sourire : c'est bon pour la santé ! Des chercheurs américains auraient mis en évidence le fait suivant : sourire libérerait du stress, de l'inquiétude et des tensions de la journée. Les 17 muscles activateurs du sourire favorisent la production d'endorphine et détendent le cortex cérébral.

On dit souvent que le rire est communicatif : le sourire aussi ! Une étude aurait démontré qu'un sourire sincère serait capable d'entraîner, par réaction en chaîne, jusqu'à 500 sourires chez les autres dans une journée.

En exprimant votre bienveillance, vous étendez celle-ci tout autour de vous. Et vous donnez envie aux autres d'être bienveillants avec vous. C'est un cercle vertueux.

Usages de la technique

Le moins doué des dragueurs sait bien qu'il doit sourire pour séduire une fille. Vous-même, lorsque vous essayez d'obtenir quelque chose (une meilleure place au restaurant, une faveur de la part d'un collègue), vous savez pertinemment qu'il vaut mieux demander en souriant.

Au travail, vos collègues vous apprécieront davantage si vous souriez ! Un sourire réchauffe le cœur et ferait fondre même les plus aigris des voisins de bureau. En cas de conflit, sachez exposer vos arguments sans vous départir de votre sourire : faites preuve d'une certaine bienveillance, d'une certaine légèreté... et tentez de « sourire » de la situation. Vous verrez, cela fluidifiera les relations du quotidien.

Sourire est utile (voire impératif) lors d'une première rencontre. On se souvient toujours de la première impression ! C'est souvent elle qui détermine le cours de la relation à venir. Vous avez rendez-vous pour la première fois avec un client ? Vous rencontrez un entrepreneur qui va peut-être refaire votre appartement ? Commencez par sourire. C'est un bon début.

Enfin, il va sans dire que toute requête doit être accompagnée d'un sourire : obtenir un rabais dans un magasin, être surclassé dans un avion... voire demander un simple renseignement à un guichet ! Ça va mieux en souriant.

Pour en savoir plus

Si vous avez du mal à sourire au quotidien, tentez de sourire à des inconnus dans la rue : vous verrez qu'on vous rendra presque toujours votre sourire !

Quand vous souriez, souriez vraiment, c'est-à-dire du fond du cœur. Rien de pire que les gens qui sourient sans leurs yeux ! En effet, il ne s'agit pas d'incurver simplement les commissures des lèvres. Essayez de ressentir véritablement l'envie de sourire. Adressez sincèrement à l'autre votre plus beau sourire. Quand on sourit, les yeux sourient aussi. Sinon, c'est un sourire « faux ».

Attention, n'essayez pas de sourire tout le temps ! Cela pourrait éveiller la méfiance de vos interlocuteurs. Une personne trop souriante peut paraître hypocrite.

Si vous avez besoin de sourire pour séduire et donc influencer votre interlocuteur, mettez-vous à la place de l'autre. Rappelez-vous à quel point les êtres humains sont bien disposés quand on leur sourit : vous paraissez « intelligent, gentil, sincère, compétent » (études de Lau et Reis), on a donc envie de faire quelque chose pour vous.

Mettez-vous à sourire aussi souvent que possible.

Repérer la technique (et éventuellement s'en protéger)

Sourire est une technique douce. Ainsi, une personne qui vous sourit vous transmet d'abord son humanité : vous vous sentez en empathie, vous vous sentez valorisé et protégé, apprécié.

Sachez pourtant repérer les sourires faux. Il suffit de regarder les yeux de la personne. Qu'expriment ces yeux ? Ils doivent normalement exprimer joie et bienveillance, comme pour tout vrai sourire. Si les yeux sont fixes, froids (voire en colère), c'est un sourire faux ! Fuyez... ou tout du moins ne soyez pas dupe de la manipulation.

Enfin, certains sourires faux ne cachent pas forcément une volonté de nuire ou de manipuler. Parfois, votre interlocuteur n'arrive pas vraiment à sourire avec les yeux car il traverse des moments douloureux : le sourire est alors une façon de donner le change, tristement. La bouche sourit mais les yeux n'y parviennent pas.

2

Droit dans les yeux

La technique du regard

Dans les films ou les bandes dessinées, les hypnotiseurs procèdent toujours de la même façon : « Regardez-moi bien dans les yeux. » C'est ce que fait le serpent Kaa avec Mowgli, dans *Le Livre de la jungle*.

C'est aussi ce que fait un fakir indien dans un album de Tintin, *Les Cigares du Pharaon* (« Oh, ces yeux, ces yeux... »).

Très vite, la personne tombe sous influence, à la merci de l'hypnotiseur qui peut disposer d'elle à sa guise.

Ces exemples sont issus de la fiction et peuvent paraître caricaturaux. Pourtant, l'armée américaine a utilisé la même technique en 1917, mais sur un plan collectif, cette fois ! Pour recruter un maximum de soldats, elle a fait imprimer à grande échelle des affiches représentant un homme au visage carré qui regardait les gens droit dans les yeux et pointait l'index avec ce slogan : « *I Want You for US Army.* » Cette affiche a très bien marché et l'armée américaine a recruté des milliers de soldats ! Du coup, elle est passée à la postérité.

Le regard captive et influence, c'est une technique très puissante.

C'est prouvé !

Le regard est l'expression de notre volonté. Parfois, un regard noir est plus efficace qu'un geste agressif ! L'avez-vous remarqué ?

Mais le regard est aussi notre meilleur ambassadeur : regarder l'autre franchement nous fait gagner des points dans son estime.

En effet, les études montrent que les êtres humains ont tendance à trouver plus sympathiques ceux qui les regardent bien en face. Plus le regard est affirmé, plus il dure longtemps, plus l'interlocuteur nous paraît aimable et digne de confiance.

Des chercheurs (Mason, Tatkow et Macrae) ont fait l'expérience suivante. Ils ont présenté à des étudiants divers visages de femmes découpés dans des magazines. Chaque femme avait en réalité subi deux retouches différentes : sur un cliché, elle semblait regarder les yeux des étudiants ; sur l'autre, non. Les résultats ont été sans appel ! Sur une échelle de 1 à 5, les femmes qui regardaient étaient notées en moyenne plus de 3. À l'inverse, celles qui ne regardaient pas étaient notées moins de 2,8. Un sacré écart…

En 1993, une autre étude (Droney et Brooks) a révélé qu'une personne qui nous regarde durablement paraît avoir davantage confiance en elle : elle a une meilleure estime d'elle-même et davantage de self-control.

Plus récemment, en France, Céline Jacob et Nicolas Guéguen (université de Bretagne-Sud) ont réalisé le test suivant. Ils ont demandé à des gens dans la rue s'ils acceptaient de remplir un questionnaire. Quand ils étaient regardés dans les yeux, les gens acquiesçaient à 64 %. Ils n'étaient plus que 32 % si la demande était faite avec le regard détourné !

La technique en bref

Lorsqu'on regarde une personne bien en face, celle-ci a une meilleure impression de nous. Elle a aussi tendance à nous faire davantage confiance. Dès lors, il nous est plus facile de l'influencer.

Pourquoi ça marche ?

Regarder l'autre, c'est le considérer, lui prêter attention, prendre acte de sa présence.

C'est aussi faire preuve d'assurance et de franchise, comme si nous n'avions rien à cacher. L'autre est là... et nous sommes là aussi. Nous n'évitons pas l'échange. Regarder l'autre bien en face, c'est aussi important que de sourire.

Vous avez remarqué combien les gens qui ne nous regardent pas en face nous mettent mal à l'aise ? Instinctivement, nous avons l'impression qu'ils ne sont pas sincères, qu'ils mentent, qu'ils cherchent à fuir ou à éviter quelque chose.

Dans la rue aussi, nous sommes choqués par ceux qui passent, parfois, sans un regard.

Le regard est important dans l'interaction humaine. D'ailleurs, une personne qui mendie dans le métro a autant besoin d'argent que d'être regardée, considérée... Les sans domicile fixe qui disparaissent au regard d'autrui souffrent beaucoup d'être devenus des invisibles, de ne plus être regardés du tout.

Enfin, regarder l'autre est parfois signe de jugement : on l'observe, on le tient « sous notre regard ». L'autre se sent alors captivé, « capté », et il ne peut échapper à notre influence. Il a pleinement senti que nous étions présents, comme si nous le surveillions.

Usages de la technique

Vous avez un rendez-vous important ? N'oubliez pas de regarder votre interlocuteur bien en face.

Vous êtes attiré par quelqu'un et avez envie de séduire cette personne ? Sortez votre « regard de velours ». Le regard exprime énormément de choses. Il suffit parfois de faire passer toute l'émotion (ou le désir) dont vous êtes capable dans un regard sans pour autant faire de gestes déplacés. Les gestes viendront après. Tout est pour l'instant condensé dans un regard.

Vous avez un projet (quel qu'il soit) et avez envie d'emporter l'adhésion ? Regardez l'autre avec conviction. Faites passer la passion qui vous anime, la flamme, l'excitation du projet dans votre regard. Votre voix, vos mains expriment peut-être ce projet qui vous tient tant à cœur mais le regard apporte la touche finale : il entre en contact avec la conscience de l'autre et communique votre énergie.

Enfin, avez-vous remarqué combien certaines personnes sont capables de vous terroriser en un seul regard ? On peut mettre beaucoup de colère, de force et d'agressivité dans un regard. Le regard, charmant l'instant d'avant, peut virer au noir. Vous devez par exemple gronder votre enfant ? Faites-lui « les gros yeux ». Ne communiquez pas seulement votre agacement mais faites passer votre autorité dans votre regard.

Un dernier petit exemple : on dit parfois de certaines personnes téméraires et pleines d'assurance qu'elles n'ont « pas froid aux yeux ». C'est parce que leur regard ne cille pas, ne tremble pas. Et même quand la situation vire au glacial, leur regard reste ferme et vivant : il n'a pas besoin de se protéger du « froid » de la situation.

Pour en savoir plus

Attention : regarder bien en face ne veut pas dire dévisager, inspecter ni détailler ! Quand vous observez votre interlocuteur, regardez-le tranquillement, ouvertement mais sans forcément chercher à le percer à jour. S'il a un bouton sur le nez ou d'autres particularités physiques, n'y attardez pas votre regard, faites comme si vous n'aviez rien remarqué. Ayez un regard bienveillant, chaleureux.

Et si vous devez parler en public ? Comment faut-il regarder l'assistance ? Ne vous contentez pas de la balayer du regard : essayez de regarder *chaque personne* dans les yeux ! Quand votre regard se posera sur un membre de l'assistance, l'espace d'un court instant, cette personne aura vraiment l'impression que vous parlez pour elle. Le public, lui aussi, remarquera que vous ne parlez pas dans le vague, mais bien à chaque personne de la salle. L'impact de votre discours en sera démultiplié !

Enfin, voici une dernière technique pour maximiser l'impact de votre regard. Et si vous regardiez votre interlocuteur en vous concentrant sur *un œil en particulier* ?

Essayez de parler avec l'autre en le regardant dans *l'œil gauche* : vous stimulerez ainsi *son cerveau droit*[1], siège de ses émotions et de sa créativité. Vous créez alors un climat d'empathie et de réceptivité émotionnelle qui peut s'avérer idéal... en situation de séduction, lors d'un premier rendez-vous amoureux par exemple !

Maintenant, si vous regardiez *l'œil droit* ? Vous stimulez alors *le cerveau gauche,* siège de la logique et de la précision : utile quand on veut faire passer une information importante !

Pour plus d'efficacité, vous pouvez alterner le regard *vers l'œil droit et vers l'œil gauche* : la personne sera à la fois touchée (œil gauche = cerveau droit, émotions et sensibilité) et captera de manière structurée votre information (œil droit = cerveau gauche, logique et précision).

1. Les choses sont inversées : regarder l'œil gauche stimule le cerveau droit, et réciproquement.

Repérer la technique (et éventuellement s'en protéger)

Une personne qui cherche à capter votre regard peut paraître intrusive. Elle cherche à se connecter à vous sans que vous sachiez très bien pourquoi. Au bout de quelques tentatives, vous aurez vite repéré son manège. Ne vous focalisez pas sur son regard et essayez de vous concentrer plutôt sur son discours. Que veut cette personne ?

Si la personne insiste vraiment, regardez délibérément ailleurs. Elle en sera déstabilisée. Sa stratégie sera mise en échec.

Dans des situations de séduction, il peut être dérangeant d'avoir à supporter un regard de désir ou enamouré ! Là, vous n'avez pas grand-chose à faire… sauf à fuir, à embrasser la personne ou à la laisser vous admirer !

Lors d'un entretien d'embauche, le regard « pénétrant » peut faire partie du jeu ; le (ou la) recruteur(se) cherche peut-être à vous percer à jour derrière vos belles paroles, vos leçons bien apprises ? N'hésitez pas à soutenir son regard de temps en temps, tout en continuant à expliquer qui vous êtes, quelles sont vos motivations. Ne vous laissez pas troubler.

Enfin, petite astuce pour repérer si une personne ment ! Dans une interaction normale, la personne vous regarde d'une manière un peu fuyante si elle est timide. Un menteur invétéré, lui, vous regardera bien en face. Dans ce cas-là, attachez-vous à son clignement de paupières : si ce personnage ne cligne pas des yeux, il y a de fortes chances qu'il mente (même conclusion, à l'inverse, s'il cligne tout le temps des yeux)…

3

« Serre-moi la pince ! »

La technique de la poignée de main

Quand les puissants de ce monde se rencontrent, lors de sommets internationaux, la télé immortalise souvent leurs poignées de main. Quand deux patrons signent un gros contrat, ils se serrent aussi la main devant les caméras !

La poignée de main est un geste fort (et un symbole viril). Elle matérialise la relation entre deux personnes. Pourtant, nombreux sont ceux qui la redoutent. Pourquoi ? On peut craindre d'avoir la main moite, d'avoir la main écrasée par autrui ou au contraire de tomber sur une main molle…

Que dit la poignée de main de nous, de l'autre ? Comment « bien vivre » la poignée de main ? Car c'est aussi une technique de manipulation.

C'est prouvé !

Les chercheurs Sandra et Florin Dolcos (Beckmann Institute, Illinois) ont étudié la poignée de main. Ils ont remarqué que celle-ci a un pouvoir positif sur les interactions sociales : si l'interaction fonctionne mal entre deux individus, la poignée de main (juste avant, ou juste après) a tendance à renforcer le courant d'empathie positive. Et si l'interaction se passe bien, la poignée de main ne fait que renforcer cet état d'esprit heureux !

En 2008, une étude américaine[1] s'est intéressée à 98 étudiants en situation réelle d'entretien d'embauche. Une équipe d'experts indépendants a évalué la façon dont chaque étudiant serrait la main. Il s'est avéré que les étudiants ayant une poignée de main ferme étaient aussi ceux que les employeurs souhaitaient recruter ! Et cela, indépendamment de toute apparence physique, de la manière de s'habiller ou d'un talent particulier. Cette corrélation poignée de main/probabilité de recrutement est encore plus marquée dans le cas de candidates féminines !

Une poignée de main ferme est associée à l'extraversion et à la capacité à exprimer ses émotions. Ce type de poignée de main est efficace pour faire bonne impression et montrer qu'on est une personne sérieuse, d'après une autre étude[2].

La technique en bref

Une poignée de main ni trop ferme ni trop molle – avec une main sèche – permet d'instaurer une bonne relation avec l'autre.

1. *American Journal of Psychology.*
2. « Handshaking, gender, personality, and first impressions », *Journal of Personality and Social Psychology*, 2000.

On se serre la main pour se saluer, se dire bonjour ou se dire au revoir (si l'accolade ou les baisers ne sont pas de mise). La poignée de main permet aussi de sceller un accord (comme dans le cas de patrons qui signent un contrat).

Si vous avez la poignée de main ferme et directe, vous suscitez un sentiment positif chez votre interlocuteur.

Pourquoi ça marche ?

Comme le sourire et le regard, la poignée de main est un code social élémentaire. Elle se pratiquerait en Occident depuis l'Antiquité : en effet, on a retrouvé des textes évoquant la poignée de main chez les soldats grecs ! On pense aussi que la poignée de main pouvait signifier que vous n'étiez pas armé.

Quand le visage a parlé (regard, sourire), le corps s'exprime par la main. C'est une façon de *prendre contact*. C'est d'ailleurs pour cela que les hommes politiques serrent beaucoup de mains : ils privilégient un contact direct, physique, avec chaque électeur en vue des élections ! Cela crée un lien qui, à terme, pourra se matérialiser en bulletin de vote.

Une personne qui maîtrise l'art de la poignée de main s'assure d'un *a priori* positif chez son interlocuteur.

D'après une étude de Richard Davidson, neuroscientifique de l'université du Wisconsin, les contacts physiques et sociaux améliorent santé et bien-être : ils agissent comme des régulateurs d'émotion face aux différents stress de la vie courante. Ainsi, dans l'étude du docteur Davidson, 16 femmes mariées passant un IRM (examen d'imagerie par résonance magnétique) croyaient qu'elles allaient subir en même temps un choc électrique. Certaines tenaient la main de leur mari, d'autres celle d'un homme anonyme, enfin d'autres encore ne tenaient la main de personne. Les résultats ont montré une réduction nette de l'activation des systèmes cérébraux en lien avec les menaces émotionnelles lorsque ces femmes tenaient la main de leur mari (et dans une moindre mesure, celle d'un étranger). En revanche, ne tenir la main de personne activait considérablement le sentiment de menace.

Le simple contact d'une main, même celle d'un étranger, agit comme un atténuateur des marqueurs de stress.

Usages de la technique

On ne peut pas utiliser la poignée de main à tout bout de champ ! Celle-ci ne sert que pour les salutations (ou, nous l'avons vu, pour « toper » lors d'un accord). Raison de plus pour soigner cette entrée en matière ou cette dernière impression laissée à l'autre en partant.

Parfois, certaines personnes utilisent aussi la poignée de main pour se reconnaître entre elles, comme dans la franc-maçonnerie (poignée très particulière et codifiée).

Parmi les jeunes notamment, la poignée de main a tendance à disparaître au profit d'une séquence plus ou moins longue de gestes, comme se claquer dans le plat de la main puis mettre en contact les poings serrés. Quand ils ne font pas un « *Give me five !* », les jeunes d'aujourd'hui privilégient parfois l'accolade (le *hug* américain) ou tout simplement le baiser sur la joue (même entre garçons).

Enfin, certaines personnes peuvent être réfractaires à la poignée de main… et à toute autre forme de contact. Respectez leur volonté de distance (et essayez de comprendre ce que cela signifie).

Pour en savoir plus

La poignée de main traditionnelle est un art. Vous êtes prêt ?

Le bras doit être relativement tendu, la main droite. Quand vous serrez la main de votre interlocuteur, vos mains sont à mi-chemin de vos corps (il ne faut pas chercher à s'éloigner ni à rapprocher son interlocuteur de soi !).

Votre paume doit être douce et sèche.

La poignée de main doit être ferme, mais pas trop.

On effectue une pression complète, avec en moyenne 3 petits mouvements de vigueur moyenne (la poignée de main dure au total trois secondes).

N'oubliez pas de regarder votre interlocuteur avec un sourire naturel et chaleureux !

Repérer la technique chez les autres (et éventuellement s'en protéger)

Vous maîtrisez désormais l'art de la poignée de main. Mais avez-vous remarqué que certaines personnes ont tendance à appuyer trop fort (et/ou à retenir trop longtemps votre main dans la leur) ?

Les personnes qui appuient trop fort ont un caractère dominateur, elles veulent montrer leur caractère fort et vous marquer de leur emprise. De même pour celles qui maintiennent votre main trop longtemps quand vous avez déjà commencé à essayer de la retirer. Ces personnes ne jouent pas le jeu de la réciprocité et ont envie de vous retenir, de vous « garder pour elles ».

Enfin, certaines personnes ont tendance à utiliser leur main gauche pour envelopper votre main droite qui serre la leur : c'est aussi un geste d'emprise (dans certains cas, c'est peut-être aussi un geste d'affection).

4

Un café ? *What else ?*

La technique du petit noir et du carré de chocolat

Qui ne connaît la célèbre publicité pour Nespresso avec George Clooney : « What else ? » Cette publicité a fait le tour du monde. Régulièrement, les créatifs proposent de nouveaux épisodes, des variations sur ce thème du délicieux expresso siroté par le beau George… et par de splendides jeunes femmes. Qu'est-ce que cela prouve ? Que beaucoup d'interactions positives sont possibles autour d'un café : un moment complice à deux ou à plusieurs, l'amorce d'une séduction, etc.

Si le café stimule, il est aussi vecteur de convivialité. Il symbolise le partage, l'invitation à un moment agréable. Et il semblerait que cela tienne autant au fait que cette boisson chaude nous réchauffe (pensez au plaisir de tenir une tasse de café ou de chocolat en plein hiver) qu'à ses principes actifs qui possèdent des similarités avec certaines drogues (la caféine stimule le système nerveux central, rend plus alerte, etc.).

C'est prouvé !

John Bargh, de l'université de Yale, a réalisé une expérience étonnante. Des volontaires ont rencontré un expérimentateur, pensant que l'expérience pour laquelle ils étaient là allait bientôt démarrer. En réalité, l'expérience, sans qu'ils le sachent, avait déjà commencé ! L'expérimentateur avait les bras chargés de dossiers et tenait dans une main un café, soit chaud, soit froid. L'expérimentateur demandait l'aide du volontaire à qui il tendait sa tasse de café. Cette tasse est au cœur de ce dispositif de manipulation expérimentale. Selon les résultats de cette étude, lorsque la tasse de café était chaude, le volontaire jugeait plus tard l'expérimentateur plus chaleureux que lorsque la tasse était froide.

Fort heureusement, les brasseries françaises servent plutôt des cafés chauds.

Par ailleurs, des scientifiques de l'université du Queensland (Australie) l'ont prouvé : la caféine permet d'influencer ses interlocuteurs et de les convaincre plus facilement.

Des dizaines d'étudiants se sont vu proposer soit une boisson à base de caféine soit une boisson n'en contenant pas (placebo). 40 minutes après la consommation de cette boisson, on leur a soumis des messages qui contredisaient leurs opinions de départ. Les boissons caféinées ont bien eu une influence sur les étudiants qui ont plus fréquemment changé leurs opinions que les autres.

La technique en bref

La technique est très simple : il suffit d'inviter son interlocuteur à boire un café.

Ce peut être à la machine à café, dans son bureau si l'on possède une cafetière ou au bistrot d'à côté. Et c'est encore mieux avec un petit carré de chocolat.

Vous avez un service à demander à quelqu'un ? Et si vous l'invitiez d'abord à boire un café ?

Pourquoi ça marche ?

Offrir à l'autre « un petit quelque chose » le place dans de bonnes dispositions à votre égard. Instinctivement, la personne se sent redevable.

Offrir un café, ce n'est pas que payer « un petit noir ». C'est aussi donner de son temps, proposer un moment de partage et de convivialité. Le plaisir du goût, la réciprocité du moment vécu sont créateurs de lien et rendent plus enclin à accepter certaines demandes.

D'autre part, la température joue aussi un rôle : avec une tasse de café chaude en main, nous serions plus doux, plus réceptifs et plus généreux...

Enfin, la caféine augmente notre taux de dopamine dans le cerveau et a donc tendance à nous rendre de meilleure humeur.

Si votre interlocuteur n'aime pas le café, offrez-lui un thé ou un chocolat chaud (sauf en été) : la plupart du temps, préférez une boisson chaude qui, on l'a vu, à tendance à « réchauffer » l'atmosphère.

Usages de la technique

Inviter quelqu'un à boire un café peut se pratiquer n'importe quand dans la journée, au bureau ou en extérieur (ou chez soi si cela est possible).

Pour en savoir plus

Vous avez un service à demander ? Une négociation à entamer ? Et si vous commenciez par inviter votre interlocuteur à boire un café ?

Une fois le café servi, la conversation s'engagera naturellement. Ne perdez pas de vue votre objectif (la demande d'une faveur, par exemple) mais laissez l'échange se dérouler tranquillement, privilégiez la convivialité. À un moment donné, votre demande émergera spontanément :

— Oh, au fait, Bertrand, je me demandais si ça serait possible qu'on bosse ensemble lors de la prochaine mission. Tu sais, j'aimerais vraiment faire équipe avec toi.

Vous verrez, la discussion se passera beaucoup mieux que si vous aviez demandé « à froid » le service en question – ou entre deux portes.

Vous avez invité la personne à boire un café, peut-être aura-t-elle à son tour envie de vous faire plaisir ?

Repérer la technique (et éventuellement s'en protéger)

Inutile de chercher à se protéger de cette technique. Sachez simplement la repérer. Profitez du moment partagé autour d'un café et essayez de savoir où veut en venir l'interlocuteur avec qui vous papotez chaleureusement.

5

L'effet caméléon

La technique de la synchronisation

Avez-vous déjà observé un couple d'amoureux sur un banc public ? Leurs mouvements sont naturellement synchrones. Les amoureux sont en parfaite empathie : quand l'un bouge une jambe ou un bras, l'autre bouge aussi pour demeurer en harmonie avec son partenaire.

Et si cette harmonie avait donné naissance à une technique incroyable… de manipulation ?

C'est prouvé !

Au cours des années 1960, Ray Birdwhistell, professeur de psychologie à l'université de Pennsylvanie, a été l'un des premiers à étudier le comportement non verbal dans l'interaction et à définir la notion de *synchronie interactionnelle*. Ses recherches ont prouvé que seuls 7 % des messages transmis étaient liés aux mots prononcés, c'est-à-dire au contenu verbal de la communication. En revanche, 38 % des messages sont transmis par le *comportement verbal* : le ton, le timbre, le volume et le rythme de la voix. Enfin, le langage *non verbal* transmettrait 55 % de notre communication !

Quant à Bandler et Grinder, célèbres inventeurs de la *programmation neurolinguistique* (PNL), ils ont beaucoup étudié la danse en couple et ont montré à quel point les corps se synchronisaient naturellement au cours de ce moment d'harmonie. D'après le chercheur Elaine Hartfield, un processus de contagion émotionnelle se produit entre les individus : en présence d'autrui nous avons toujours tendance à converger émotionnellement. Un mimétisme automatique se met en place, ainsi qu'une synchronisation des expressions, de la voix, des postures et des mouvements. L'amygdale est cette partie du cerveau qui rend possible cette empathie et permet de se mettre à l'unisson des émotions des autres. Tout le tronc cérébral participe à cette connexion biologique, en recréant à l'intérieur de nous l'état physiologique de l'autre. Howard Friedman, un psychologue de l'université de Californie à Irvine, pense que cette contagion émotionnelle est le mécanisme par lequel certains individus sont capables d'émouvoir et d'inspirer les autres : lors d'une prise de parole en public, par exemple, l'utilisation d'expressions faciales, de la voix, de gestes et de mouvements corporels transmet des émotions depuis la tribune jusqu'à l'ensemble de l'auditoire.

On le voit, la synchronisation a tendance à s'établir naturellement. Mais rien ne vous empêche d'en faire un peu plus et de guider votre interlocuteur vers celle-ci…

La technique en bref

La technique de la synchronisation est simple : il s'agit de *coordonner ses mouvements* avec ceux de son interlocuteur. Ainsi, celui-ci se sentira automatiquement en harmonie avec vous.

Quand votre interlocuteur croisera la jambe, croisez aussi la vôtre ! Synchronisez-vous avec lui.

Mais ce n'est pas tout ! Vous pouvez aussi « synchroniser » bien d'autres choses : *petits gestes, expression du visage...* S'il bouge un peu la main, bougez un peu la main. Les éléments « paraverbaux » sont eux aussi synchronisables : *le ton, le débit, le volume de la voix...* et même *le niveau de langage* (familier, courant, soutenu). Si votre interlocuteur parle bas, parlez bas. S'il parle vite, parlez vite. S'il emploie des mots vulgaires, faites de même !

Cette technique est au cœur de la PNL.

Pourquoi ça marche ?

Dans une interaction humaine, on a tendance à se focaliser sur la conversation et sur les mots. Mais ces derniers ont moins d'impact que la communication *non verbale*. C'est sur elle qu'il faut s'appuyer pour être en empathie, en harmonie, *en phase* avec le mode de fonctionnement de l'interlocuteur. Être *synchrone* avec lui est le meilleur moyen de le mettre à l'aise.

Ruth Feldman, chercheur au Centre des sciences cérébrales (Israël), a montré comment une mère et son enfant instaurent très tôt une synchronisation biologique et émotionnelle. Celle-ci permettra à l'enfant de développer ses capacités, d'être empathique ainsi que de lire les intentions des autres. Cette capacité de synchronisation s'enracine très tôt dans nos vies, dès la petite enfance !

Usages de la technique

Cette technique peut être employée régulièrement : avec vos amis, lors d'un entretien d'embauche, avec une personne que vous voulez séduire... La synchronisation aide toujours à instaurer (de manière inconsciente pour l'interlocuteur) un climat positif.

Amusez-vous, au café, à croiser et décroiser la jambe en même temps que l'ami avec qui vous parlez. Accompagnez ses gestes, modelez votre voix sur la sienne. Inconsciemment, il se sentira en phase avec vous : il ressentira votre empathie commune et gardera de ce moment un souvenir enchanté...

En PNL, la synchronisation peut être réalisée en « miroitant[1] » la physiologie d'une personne : sa respiration, ses gestes, sa posture et ses expressions faciales ; la tonalité de la voix peut être « miroitée » (qualité, vitesse, hauteur et volume de la voix) ainsi que les mots utilisés.

La synchronisation est une compétence qui peut être utilisée dans n'importe quel domaine de votre vie et avec toute personne. Elle est utile au sein de votre famille, avec votre conjoint ou vos enfants. Vous pouvez éviter les conflits avec votre conjoint ou mieux comprendre les modes de pensée de votre enfant. La synchronisation a ceci de magique qu'en adoptant les postures et les gestes d'un autre, vous vous mettez à penser de la même manière car les postures physiologiques sont reliées à nos états émotionnels. La synchronisation est très importante dans la vie professionnelle pour s'entendre avec ses supérieurs, ses coéquipiers et ses subordonnés. Particulièrement efficace en cours de réunions de groupe, de discussions ou de prises de

1. En anglais, technique du *mirroring* (« miroir »).

décisions, la synchronisation permet d'établir une bonne relation et une bonne atmosphère pour que tout le monde se sente en phase ; cela permet d'éviter des conflits et des malentendus.

Pour en savoir plus

Procédons par étapes.

Vous devez d'abord effectuer un *travail de reconnaissance*. Observez la posture de votre interlocuteur : la position de ses bras, de ses jambes et de tout son corps. Observez ses gestes, notamment ses mains, sa tête. Ensuite, intéressez-vous au ton, au débit et au volume de sa voix. Est-ce qu'il parle fort ? Lentement ? Rapidement ? Sa voix est-elle grave ?

Ensuite, *devenez le miroir* de votre interlocuteur ! L'erreur à ne pas commettre, c'est de singer la personne. Car la personne que vous avez en face de vous ne doit absolument pas se rendre compte que vous essayez de vous synchroniser avec elle. Commencez doucement. Reproduisez simplement un ou deux gestes, ralentissez ou augmentez le débit de votre voix si nécessaire. Mais soyez discret, invisible. Synchronisez-vous pleinement lorsque vous sentez que votre homologue est détendu. Après quelques minutes d'observation et de test uniquement…

1re leçon de programmation neuro-linguistique : observez la fréquence de clignement des yeux, les expressions faciales ou les tensions dans les muscles de la personne et reproduisez-les. Vous pouvez même placer votre lèvre inférieure pour qu'elle corresponde à celle de l'autre personne. Clignez des yeux à la même fréquence que celle de l'autre personne, mais faites-le de biais afin de faire appel à l'inconscient sans incommoder la personne.

2e leçon de programmation neuro-linguistique : reproduisez la respiration d'une personne. Les gens expirent au moment où ils parlent. Faites de même, expirez lorsque la personne parle. Lorsque la personne inspire, prenez une inspiration aussi. En observant le haut des épaules, vous pouvez interpréter et prévoir le schéma de respiration. Lorsque l'épaule se lève, cela indique que la personne inspire (quand elle descend, la personne expire).

Repérer la technique (et éventuellement s'en protéger)

La synchronisation est subtile. On n'en a généralement pas conscience et elle peut être difficile à repérer ! Si vous vous doutez de quelque chose, observez attentivement votre interlocuteur : vous verrez bien s'il se synchronise avec vous de façon calculée.

6

Coco le perroquet

La technique de la reformulation

Cette technique est très utilisée par les vendeurs et les commerciaux. Vous allez la reconnaître (et la comprendre) immédiatement.

Un client entre dans un magasin :

— Bonjour, je cherche un bijou pour ma femme : c'est son anniversaire dans deux jours et je voudrais lui acheter un bracelet en argent.

Le vendeur répond :

— Très bien ! Vous cherchez donc un bracelet en argent pour l'anniversaire de votre femme. J'ai ce qu'il vous faut...

C'est prouvé !

Les psychologues Carl Rogers et G. Marian Kinget ont longuement travaillé sur la reformulation. D'après eux, en reformulant, on donne l'impression à l'interlocuteur que ce qu'il vient d'exprimer est acceptable (puisqu'on est capable de le répéter calmement). Du coup, cela améliore la communication. L'interlocuteur a envie d'aller plus loin dans son exposé, son argumentation.

Rogers et Kinget recommandent aussi la reformulation à des fins thérapeutiques : le patient, en entendant ses mots dans la bouche d'un autre, prend réellement conscience de ce qu'il exprime. En se confrontant à ses propres idées, il peut aussi envisager une solution.

Enfin, en 2007, Erik Rautalinko, de l'université d'Uppsala (Suède), a démontré lors d'une étude que plus une personne sait écouter et reformuler, plus elle est habile dans ses relations sociales. Cette personne parvient plus facilement à aider les autres à exprimer leurs émotions. Elle sera perçue par ses collègues au quotient émotionnel élevé comme quelqu'un de professionnel.

La technique en bref

La technique est très simple. Il suffit de répéter ce qu'a dit votre interlocuteur en clarifiant si nécessaire.

On ne déforme pas les propos de l'interlocuteur dans un sens qui nous serait plus favorable. On adopte une attitude passive, fondée sur l'écoute active de l'autre. À ce stade, on ne cherche pas à convaincre. On devient simplement « le miroir des paroles de l'autre ».

Comme la synchronisation enseignée précédemment (technique n° 5), cette technique est basée sur une « synchronisation » *du contenu verbal*.

L'interlocuteur dit « blanc » ? Vous dites « blanc ». Vous allez voir, c'est une technique imparable pour fluidifier la communication.

Pourquoi ça marche ?

Quand vous reformulez son propos, l'interlocuteur se sent rassuré et compris. Il a vraiment l'impression que vous l'écoutez.

En reformulant, vous adoptez un comportement *assertif* et non agressif. Vous n'empiétez pas sur la liberté de l'autre, vous n'êtes pas dans la contradiction. Au contraire, vous allez vraiment dans le sens de l'autre : c'est ce qu'un être humain attend ! Nous voulons être pleinement compris – et non contredit – par celui à qui nous nous adressons.

Enfin, la reformulation permet souvent de clarifier le propos de l'autre (nous allons le voir p. 44). C'est un point appréciable quand la conversation s'enlise ou quand l'interlocuteur a du mal à s'exprimer de manière concise. Reformuler, ce n'est pas seulement agir comme le miroir de l'autre : c'est mettre en œuvre une « maïeutique », c'est-à-dire accoucher les propos de l'autre et les rendre plus clairs qu'ils ne le sont.

Usages de la technique

Ici aussi, les usages sont innombrables ! Comme la synchronisation, vous pouvez utiliser la reformulation très régulièrement.

Si vous êtes face à un proche angoissé, à quelqu'un qui cherche avec force à exprimer quelque chose ou, au contraire, face à quelqu'un qui cherche ses mots, reformulez de temps en temps ses paroles. Vous verrez comme la personne se sent rapidement détendue : petit à petit, elle sera plus calme et pourra exprimer ses idées plus clairement.

Pour en savoir plus

Il y a plusieurs modes de reformulation.

La reformulation « écho » (ou perroquet)

On répète simplement les paroles de l'interlocuteur.

— En ce moment, je suis déprimé et je n'ai plus envie de partir en vacances.
— Tu es déprimé et tu n'as plus envie de partir en vacances ?

Cela paraît un peu simplet... mais ça marche ! Soyez comme *un écho* des paroles de l'autre... Vous n'êtes pas obligé de tout répéter. Répétez simplement les mots clés du discours.

La reformulation « miroir »

Cette fois, on va plus loin que le simple « perroquet ». On utilise *des amorces* et on reformule *avec ses propres mots*. Cette traduction de la parole de l'autre a un effet très puissant. L'interlocuteur a l'impression que vous vous êtes approprié ce qu'il exprime.

— Si je ne trouve personne pour m'aider, je ne ferai pas ce travail qui me prend trop de temps.
— En d'autres termes, si tu n'es pas assisté sur ce projet, tu vas devoir déclarer forfait ?

La reformulation « synthèse »

Maintenant, essayez de synthétiser et de résumer la parole de l'autre. Utilisez pour cela une amorce qui montre que vous résumez tout ce que vous venez d'entendre.

— C'est compliqué, j'ai acheté mon billet, mais la SNCF ne veut pas me rembourser, je ne sais pas si je dois partir quand même, mais je suis attendu en Bretagne dès vendredi, et je n'ai que trois jours de congé, il faut que je rappelle la SNCF, j'aimerais bien maintenir ma date de départ, mais ma chef n'est pas rentrée, je devais la croiser pour un dossier important...

— *Si je comprends bien*, tu voudrais partir mais tu ne sais pas encore si tu pourras.

Cela soulage l'interlocuteur d'entendre son propos à ce point résumé.

Vous pouvez aussi débuter par « en résumé », « au final », « en deux mots », etc.

La reformulation « clarification »

Cette fois, il ne s'agit pas de résumer mais d'aider l'interlocuteur à clarifier son propos. La reformulation sert à *lever les ambiguïtés* ou incite l'interlocuteur à *développer son idée*.

Les amorces sont du type : « tu veux dire que », « autrement dit », « en clair »...

Par exemple (entre collègues) :
— Je crois que Stéphanie a d'autres projets.
— Tu veux dire qu'elle va démissionner ?

La reformulation clarification permet de proposer un autre angle de vue.

— Je n'aurais jamais dû y aller en train.
— Tu veux dire que l'avion aurait été préférable ?

Repérer la technique (et éventuellement s'en protéger)

Comme la synchronisation physique, la reformulation n'est pas toujours aisée à repérer. Face à un interlocuteur qui la pratique, on a souvent l'impression que la communication avance bien, très bien... trop facilement même. L'autre nous accompagne dans notre énonciation, il reformule nos propos, il nous tend « des perches » pour que nous allions plus loin. Nous nous sentons pleinement écoutés ! Ce peut être agréable et utile quand on a besoin d'exprimer des choses. Néanmoins, attention aux gens qui utiliseraient la reformulation de manière insincère, pour vous tirer les vers du nez ou en savoir plus que ce que vous êtes réellement prêt à dire. Soyez, vous aussi, à l'écoute des paroles de l'autre ! Et si elles sont trop systématiquement « en miroir », méfiez-vous.

7

Quand la musique est bonne

La technique de la musique

La musique est un art. Elle existe depuis les origines de l'humanité, dans toutes les cultures. Elle suscite des émotions très fortes et très belles chez les hommes, qu'ils l'apprécient tranquillement, seuls chez eux, ou bien en groupe, au concert ou en boîte de nuit !

Mais saviez-vous que la musique a le pouvoir d'influer sur nos comportements ?

C'est prouvé !

En 2001, une équipe de psychologues britanniques de l'université de Leicester a réussi à prouver que les vaches produisaient plus de lait grâce à Beethoven ! Bercées par une musique douce diffusée dans leur étable, les vaches s'avéraient moins stressées, et leur production de lait augmentait de trois quarts de litre par jour.

Outre Beethoven, les vaches semblaient apprécier aussi *Everybody hurts* de REM ou *Perfect Day* de Lou Reed !

Ronald Milliman, professeur à la West Kentucky University (États-Unis), a démontré en 1982 qu'une musique lente diffusée en magasin poussait les gens à marcher plus lentement. Du coup, les clients s'attardent dans les rayons et les ventes augmentent ! À l'inverse, une musique rapide incite les gens à faire leurs courses plus vite. Le rythme musical influe aussi sur la vitesse à laquelle les gens mangent. De manière générale, un rythme rapide a tendance à faire agir les gens plus rapidement. C'est la raison pour laquelle les managers, lors de demandes urgentes, arrivent précipitamment dans le bureau et parlent en accéléré. Dans un contexte amoureux, parlez lentement : vous apparaîtrez relaxé et détendu plutôt que stressé. Cela incitera votre partenaire à réagir de la même façon.

Travailler au rythme d'une musique rapide permet d'accélérer aussi son rythme de travail. À bon entendeur !

La technique en bref

Si la musique rend les vaches plus productives, chez les humains elle excite le comportement d'achat ! En effet, de très nombreux magasins de vêtements diffusent de la musique en permanence. Dans certaines boutiques, il n'est pas rare de voir les jeunes clients esquisser des pas de danse… Ces magasins qui ressemblent à des boîtes de nuit font généralement de bonnes affaires.

Dans les supermarchés, tout est fait pour que les clients restent plus longtemps. On diffuse cette fois de la variété pour casser l'ambiance froide du lieu. Quant aux parkings souterrains, ils diffusent de la musique classique : Mozart ou Brahms adoucissent l'atmosphère anxiogène de ces lieux.

Pourquoi ça marche ?

La musique est un art très subtil et très « émotionnel ». Elle sert à donner une couleur à un lieu, à une situation. Avez-vous remarqué combien la musique est utilisée au cinéma pour accentuer l'effet de certaines séquences (musique angoissante pour les scènes de danger, violons pour les scènes romantiques, etc.) ?

Dans la « vraie vie », c'est pareil. À la fois partout et nulle part, omniprésente (qu'elle soit forte ou en sourdine), elle est comme la température d'une pièce. Elle crée une ambiance dans laquelle les êtres humains se lovent et par laquelle ils se laissent traverser sans résistance.

Vous vous rappelez la chaleur de la tasse de café qui rend plus aimable, plus à l'écoute de l'autre ? Avec la musique, c'est pareil. On dit qu'elle *adoucit les mœurs.*

Usages de la technique

Dans les relations interpersonnelles, la musique peut être un subtil outil de manipulation.

Lors d'un premier rendez-vous amoureux, si cela se passe chez vous, n'hésitez pas à diffuser un petit fond sonore (classique ? jazz ? électro ?). Vous pouvez aussi demander à la personne ce qu'elle veut écouter :

échanger autour de la musique, c'est déjà installer un climat de confiance.

Lors d'un rendez-vous professionnel, il peut être fructueux d'emmener un futur client dans un lieu où est diffusée une musique douce et élégante (un bar d'hôtel par exemple). La noblesse de l'endroit est accentuée par la beauté de la musique. Le client se détend, il est plus enclin à vous écouter, à accepter vos propositions…

Pour en savoir plus

Si vous êtes entrepreneur ou commerçant, peut-être vous êtes-vous posé la question du choix de la musique d'attente sur votre répondeur ? Vers quel type de musique vous orienter ?

Attention : choisir *Les Quatre Saisons* de Vivaldi n'est peut-être pas approprié ! Cette partition est un classique des musiques d'attente. Et si vous mettiez une musique relaxante ? Sachez qu'une étude le déconseille aussi. Un chercheur de Floride, en 1993, a étudié le taux de raccrochage selon le type de musique entendu au téléphone. La musique relaxante est l'une de celles qui font le plus raccrocher les gens ! La pop et le classique ne sont pas très adaptés non plus. En revanche, le jazz semble jouir d'un meilleur taux d'acceptation : les gens restent en ligne plus longtemps. Mais pour votre (petite) entreprise, rien ne vous empêche d'être créatif et de diffuser un son original (comme par exemple une musique régionale un peu modernisée si vous êtes en Bretagne, ou dans le Sud-Ouest, etc.).

Repérer la technique (et éventuellement s'en protéger)

S'il vous arrive de faire vos courses dans des magasins d'habillement qui diffusent une musique entraînante, rappelez-vous que cette musique est là pour accentuer votre comportement d'achat. Sachez garder la tête froide et n'achetez que ce dont vous avez réellement envie.

8

Une image vaut mille mots

La technique des « mots sensoriels », des images et des métaphores

Le dirigeant historique de la lutte contre l'apartheid, Nelson Mandela, a toujours recommandé : « Ne parlez pas au mental des gens, parlez à leur cœur. » Au cours de sa longue expérience, il a compris que l'on peut mobiliser le meilleur de l'être humain (malheureusement également le moins bon) en s'adressant à cette part de nous qui comprend les choses sans avoir besoin de mots. Cette part-là est symboliquement le « cœur » et biologiquement plutôt notre cerveau droit, réceptif aux images, aux expressions sensorielles et aux sensations.

Les Italiens parlent avec leurs mains pour rendre leurs propos plus expressifs. Quant aux hommes politiques ou aux grands communicants, ils emploient parfois ces mots issus directement du vocabulaire des émotions : « Je sens », « Je vois », « J'entends »... qui permettent de toucher plus directement l'auditoire.

Un politique « sent » les besoins du peuple et « voit » la sortie de crise pour bientôt.

Plus directement, les politiques raffolent du *storytelling* (voir aussi technique, p. 236 : il faut raconter une histoire au peuple et non le noyer sous des chiffres ou des textes de loi. Et, pour raconter une histoire, quoi de mieux que des images ?

On dit qu'une image vaut mille mots.

En usant souvent d'images et de métaphores, vous aurez davantage d'influence sur vos interlocuteurs.

C'est prouvé !

Une étude exceptionnelle réalisée par Mark Landau, Daniel Sullivan (université du Kansas) et Jeff Greenberg (université de l'Arizona) prouve qu'il est possible de manipuler le comportement de n'importe quel individu en exploitant la sensibilité aux métaphores du cerveau humain. Les chercheurs ont fait lire à un groupe de sujets un article qui soulignait les risques pour la santé des bactéries en suspension dans l'air. L'autre groupe ne le lisait pas. Puis, les chercheurs ont fait lire aux deux groupes un article historique sur la situation économique et migratoire aux États-Unis après la guerre civile, comparant la nation à un organisme vivant. Lorsqu'on a évalué les opinions des deux groupes, les chercheurs ont constaté avec stupéfaction que ceux qui avaient lu au préalable un article sur la dangerosité des bactéries exprimaient plus d'opinions négatives sur les immigrés que les autres.

Une autre étude brillante de Bargh et de ses collègues a porté sur des volontaires invités à évaluer les CV de différents candidats. Dans certains cas, les CV étaient attachés à un presse-papiers lourd ; dans d'autres cas, ils étaient attachés à un presse-papiers léger. Les volontaires qui ont évalué les candidats dont les CV étaient attachés à un presse-papiers plus lourd ont eu tendance à juger les candidats comme étant plus sérieux. En effet, sur un plan métaphorique, nous employons des expressions comme « C'est du lourd », « Cette entreprise est un poids lourd »... Le cerveau prend beaucoup de choses « au pied de la lettre », sans que nous en soyons le moins du monde conscients.

Ces études fournissent une compréhension originale et intelligente des effets du langage figuré.

Quant au grand psychologue Milton Erickson, fondateur de l'hypnose ericksonienne, il a développé une technique d'hypnose basée sur les métaphores. En utilisant des images lors de ses séances d'hypnose avec ses patients, il parvenait à agir très directement sur leur inconscient !

Enfin, la prestigieuse marque de voitures de luxe Porsche a su faire appel aux métaphores dans une de ses publicités qui s'adresse directement à l'imaginaire des futurs acheteurs : « Une Porsche n'est pas une voiture. C'est le meilleur joujou d'ingénierie conçu au monde. » Les métaphores sont si puissantes qu'elles ont le pouvoir de transformer nos opinions et notre vision du monde. Les antiquaires ne s'y trompent pas lorsqu'ils qualifient nos poubelles de « trésors ».

La technique en bref

La technique est très simple. Dans un premier temps, il suffit de bannir les mots « froids » et intellectuels de votre discours. Ne dites pas : « Je pense » ou « Je crois ». Employez un registre connecté aux émotions du corps. On utilisera donc les mots suivants : « Je vois », « Je sens », « J'entends ».

On peut aussi utiliser tous les mots issus du registre de la sensation pour exprimer... ses sensations, justement, et ses opinions : « J'en ai la chair de poule », « Cette histoire me touche », « Quand elle me parle, je fonds », « J'en suis resté pétrifié ». Impliquez votre corps dans la parole.

Une fois que vous avez mis en place un registre sensoriel[1], n'hésitez pas à vous exprimer par images et métaphores pour frapper plus durablement votre auditoire. Par exemple, pour ce dossier Durand que vous n'arrivez pas à finir : « Écoutez, chef, le dossier Durand est une *montagne* de boulot ! *Une chatte n'y retrouverait pas ses petits* (= gros désordre). »

Pourquoi ça marche ?

Pensez au pouvoir des émotions ! Rappelez-vous que c'est le corps qui transmet l'essentiel des messages lors d'une interaction. En utilisant des mots directement connectés à votre corps (« Je vois », « Je sens », etc.), vous renforcez votre pouvoir de persuasion. Votre propos a plus d'impact.

Quant aux métaphores et aux images, elles ont de tout temps frappé les hommes. Dans la Bible et les récits anciens, il y a des images très fortes : la mer Rouge qui s'écarte pour laisser passer Moïse, la pêche miraculeuse de Jésus, etc. Plus tard, les romanciers ont toujours utilisé les descriptions et les métaphores pour faire passer leur message, enchanter par leur récit.

1. Que l'on nomme aussi le VAKOG pour visuel-auditif-kinesthésique-olfact-gustatif.

Avec une image, nous sommes tout de suite au cœur de l'action, au cœur du propos ! C'est parce que les images parlent directement à notre cerveau droit (le cerveau sensible), plus impressionnable que le cerveau gauche (rationnel).

Selon le spécialiste du langage métaphorique, James Geary, les personnes ayant des troubles autistiques interagissent et comprennent le monde différemment, en grande partie parce qu'elles sont incapables de comprendre la pensée métaphorique.

Usages de la technique

N'utilisez pas « Je vois », « Je sens », « J'entends » à toutes les sauces ! Parlez comme vous avez l'habitude de le faire. Mais quand vous avez besoin de convaincre quelqu'un, n'hésitez pas à mettre tout votre corps dans la balance. À ce moment-là, utilisez : « Je vois », « Je sens », « J'entends »...

Dites par exemple : « *Je sens* qu'on pourrait bien s'entendre tous les deux » plutôt que : « *Je pense* qu'on pourrait bien s'entendre tous les deux. »

Vous avez remarqué comme la seconde proposition a plus de force ?

Dites aussi : « Sur ce projet, *je vois* un beau chiffre d'affaires, de belles perspectives de développement » ou encore : « *J'entends* que tu as des problèmes de couple, tu veux m'en parler ? » Pensez au pouvoir de la sensation et utilisez tous les mots, toutes les expressions qui s'y rapportent.

En revanche, ne dites pas un peu bêtement : « Tu vois ce que je veux dire ? » On emploie souvent cette phrase quand on a du mal à s'exprimer.

Est-ce que cet exposé vous a touché ?

Maintenant, procédons par images...
Pour séduire une jeune fille, les jeunes hommes peuvent user d'un langage poétique et imagé à même de transporter la dulcinée dans une autre dimension :

— Je voudrais qu'on soit tous les deux sur une île déserte, l'eau serait turquoise et le sable doré, les cocotiers nous offriraient leur ombre légère, le vent caresserait tes cheveux et ta peau...

Hmm, on s'y croirait...

Pour en savoir plus

Pour créer une image mentale chez votre interlocuteur, mettez-vous dans la peau d'un professeur qui cherche à expliquer quelque chose à un élève. Pour ce faire, il va vous falloir utiliser des mots simples qui s'associent parfaitement avec l'univers de la personne. Qu'est-ce que l'univers d'une personne ? C'est la façon dont elle perçoit le monde avec ses sens !

Nous avons 5 sens : la vue, l'ouïe, le toucher, l'odorat et le goût. Dans votre exposé, mobilisez une *grande diversité de sensations* !

Exemple : « L'autre jour, *j'ai remarqué* que *tu ne te sentais pas bien* quand *je t'ai entendu* te plaindre à propos de la baisse du chiffre d'affaires. Je te conseille de *relâcher la pression sur tes épaules* car j'ai vraiment l'impression que tu es en train de *te faire écraser dans un étau géant.* Redeviens *la bête féroce* que tu étais avant, un *vrai loup enragé* ! »

Dans cet exemple, on utilise des mots liés aux sensations (se sentir bien, entendre, relâcher la pression)... mais aussi des images très explicites (se faire écraser dans un étau géant, un vrai loup enragé, etc.). C'est très parlant !

Repérer la technique (et éventuellement s'en protéger)

Maintenant que vous connaissez le pouvoir de l'image, il sera plus facile de vous en protéger, notamment quand vous réservez vos vacances sur Internet ou si vous avez un projet immobilier.

L'hôtel a l'air somptueux et la piscine magnifique ? Vérifiez que vous avez bien accès à la piscine et que l'hôtel est aussi confortable qu'il en a l'air (taille des chambres, air conditionné, etc.).

La résidence dans laquelle vous allez investir paraît très élégante ? Méfiez-vous des « vues d'artiste » et visitez le quartier, l'appartement témoin. Surtout, renseignez-vous sur les matériaux, les détails techniques...

Attention à toujours valider *par des faits et des chiffres* les images séduisantes. À l'été 2013, François Hollande a déclaré : « *Je vois* la reprise » (tiens, un mot sensoriel...). Là aussi, méfions-nous ! Les économistes sont là pour vérifier par des chiffres concrets si cette « image » que nous tend le président a une quelconque validité.

9

« Florian, je comprends tout à fait ce que tu veux dire »

La technique du prénom

Récemment, Coca-Cola a eu l'idée de personnaliser ses bouteilles avec les 150 prénoms les plus courants en France. La campagne a eu un tel succès que Nutella, autre produit chouchou du public, a imité le bon vieux Coke ! Désormais, dans les familles, on peut manger de délicieuses tartines de chocolat en allant puiser dans le pot marqué Isabelle ou Christophe... euh, pardon, Nutella : une façon pour les marques de se rapprocher de leur public, de créer de la proximité.

Les hommes politiques aussi raffolent de l'usage du prénom, surtout outre-Atlantique. Lors de leurs déplacements ou de réunions publiques, ils n'hésitent pas à s'adresser aux gens qui les interpellent en les nommant par leur prénom :

— *Mister President, I am Barbara Smith and I...*

Etc.

— *Yes, Barbara, tell me*[1].

---

1. « Monsieur le président, je suis Barbara Smith et je... – Oui, Barbara, dites-moi. »

On imagine très bien ce dialogue entre Barack Obama et une parfaite inconnue (mais future électrice).

C'est prouvé !

Dale Carnegie, l'auteur de *Comment se faire des amis*, affirme que l'utilisation du nom de quelqu'un est incroyablement importante. Selon lui, le prénom d'une personne est le son le plus doux pour la personne qui le porte, quelle que soit la langue dans laquelle il est prononcé. Un prénom est la partie essentielle de notre identité : l'entendre valide notre existence, nous rend beaucoup plus enclins à apprécier la personne qui a prononcé notre prénom.

La technique en bref

Il s'agit d'appeler votre interlocuteur *par son prénom* pour créer une sensation de proximité et pénétrer sa sphère intime. Ainsi, votre influence grandit.

En bref, voici la technique.

Tout d'abord, retenez le prénom de votre interlocuteur. Facile, si c'est un ami. Plus difficile en réunion ou lors d'une négociation avec plusieurs personnes.

Ensuite, utilisez le prénom de la personne en lien avec la proposition ou la demande que vous formulez. Par exemple :

— Je comprends bien ce que vous me dites. Mais écoutez-moi, Alain, je ne suis pas favorable au lancement de ce projet de rénovation de nos locaux.

Pourquoi ça marche ?

Quand vous appelez votre interlocuteur par son prénom, vous lui donnez le sentiment d'exister ! Rappelez-vous : le prénom a été donné par nos parents, il n'y a rien de plus intime.

Souvent, les parents ont longtemps hésité avant de trouver le prénom de leur enfant. Celui-ci est le fruit de leurs échanges, du temps d'attente qui a précédé la naissance. Parfois, le prénom est aussi dépositaire de l'histoire familiale (quand on donne le prénom d'un grand-parent ou d'un membre de la famille ayant eu une importance particulière). Enfin et surtout, il nous inscrit dans un genre : le nom de famille est indifférencié (homme ou femme), le prénom est souvent masculin ou féminin.

Rappelez-vous : dans la cour d'école, quand on vous appelait par votre nom (au lieu du prénom), cela n'était pas toujours bon signe !

Retenir et utiliser le prénom de quelqu'un, c'est donc lui donner l'impression qu'on le connaît intimement et qu'on s'intéresse à lui. C'est à la fois lui donner de l'importance (prénom = j'existe) et créer un lien avec la personne, se rapprocher d'elle.

Usages de la technique

Tout d'abord, apprenez à retenir le prénom des gens que vous rencontrez, c'est une preuve qu'ils ont de l'importance pour vous.

Il est possible d'user de la technique du prénom dans de nombreux domaines de la vie courante : au travail, en soirée, dans les magasins, etc.

Au travail :
— Alexandra, pourrais-tu me rendre un petit service ?

En soirée :
— Bien sûr que je me souviens de toi ! Comment ça va, Camille ?

Dans un magasin (il faut pour cela réussir à lire l'étiquette que certains vendeurs arborent sur leur chemise) :
— Excusez-moi, Mickaël, je ne trouve pas ma taille de chemise...

Cette technique marche d'autant plus avec les gens que vous connaissez peu, voire que vous venez de rencontrer ! La personne se sent alors immédiatement reconnue par vous. Elle sent qu'elle vient de pénétrer votre univers mental, qu'elle n'est pas qu'un numéro, un anonyme, un individu interchangeable parmi d'autres. Du coup, elle est mieux disposée à vous rendre service, à vous écouter...

Avez-vous remarqué à quel point les courriers publicitaires que vous recevez commencent par un sympathique : « Bonjour, Bastien ! » (ou Florian, Aurélie, Camille...). Les experts en marketing savent que le prénom crée de la proximité.

Mais attention : la technique du prénom ne peut être généralisée à toutes les situations de la vie ! Dans le domaine professionnel, certains supérieurs hiérarchiques verraient d'un très mauvais œil que vous les appeliez par leur prénom. Même chose chez le médecin, par exemple, que vous appelez « docteur » et non par son prénom. Beaucoup de situations formelles empêchent que l'on adopte le prénom de but en blanc : quand une certaine distance est nécessaire, il est très mal vu d'user du prénom, encore plus d'un diminutif !

Pour en savoir plus

La technique du prénom est intéressante dans un grand nombre de situations dont nous avons donné plus haut quelques exemples.

Elle est appropriée pour demander quelque chose : « Vincent, peux-tu... » ou simplement pour prendre des nouvelles : « Salut, Franck, comment vas-tu ? »

La technique est aussi très utile pour complimenter quelqu'un. En utilisant le prénom, vous donnez vraiment de la force à vos félicitations : « Bravo, Stéphanie, tu t'es super bien débrouillée. »

Enfin, si votre univers professionnel le permet, utiliser fréquemment le prénom de votre supérieur(e) peut vous permettre de marquer des points. Tout en maintenant la distance nécessaire, et même si vous vous vouvoyez, employer le prénom de votre patron crée une proximité bien utile pour qui veut progresser dans l'entreprise.

Pour résumer : pensez à employer le prénom quand la situation le permet, sans faire d'impair ni créer un sentiment de proximité artificiel. À vous de juger si l'interlocuteur et la situation permettent l'usage de cette technique !

Repérer la technique (et éventuellement s'en protéger)

Si une personne que vous connaissez peu (un vendeur à qui vous venez de donner vos coordonnées ou une personne qui fait du marketing téléphonique, par exemple) vous appelle systématiquement par votre prénom, méfiez-vous !

Pour contrer la technique, vous pouvez vous amuser à l'utiliser vous aussi.

Le vendeur :
— Vous voyez, Bastien, ce téléphone a vraiment plein d'options nouvelles.
— Merci, Nicolas, je vais réfléchir.
— Vous êtes sûr, Bastien ?
— Oui, Nicolas. Merci, Nicolas.

10

« Chuchoti, chuchota »

La technique du « parler bas »

Cela vous énerve, vous, quand quelqu'un parle trop doucement ? Doucement, doucement, doucement, voire en chuchotant... et que vous devez tendre l'oreille pour comprendre ?

Eh bien, ce chuchotement n'est peut-être pas fortuit. C'est même une technique de manipulation à part entière.

Le président Roosevelt avait une devise bien à lui : *Speak softly and carry a big stick* (« Parle avec douceur et porte un gros bâton »). Il disait l'avoir apprise d'un proverbe d'Afrique de l'Ouest : « Parle avec douceur, porte un gros bâton et tu iras loin. »

C'est prouvé !

Sarah Collins, de l'université de Leyde (Pays-Bas), a montré que plus la voix est grave, plus elle inspire confiance. C'est vrai aussi quand la voix est basse, posée.

D'après une étude menée par des psychologues américains du Albright College (Pennsylvanie) et de l'université de Baltimore, il a été constaté que lorsque hommes et femmes parlaient à voix basse, le niveau d'excitation physiologique était plus élevé, particulièrement dans une situation de séduction. « Le son d'une voix peut communiquer une mine d'informations biologiques et sociales », affirment ces scientifiques. Cette étude prouve que les deux sexes ont tendance à baisser la hauteur de leur voix dans une situation de séduction. Les scientifiques concluent en disant : « Une voix basse et grave pour des sujets masculins est associée à la masculinité, à une capacité de reproduction plus élevée et augmente le pouvoir de domination sociale et physique. » Par conséquent, baisser la voix pour la rendre plus grave est une manipulation avantageuse pour se valoriser.

La technique en bref

La conversation se déroule normalement. Vous êtes plusieurs, tout le monde parle, parfois certains parlent très fort !

Et si vous essayiez de chuchoter ?

Baisser d'un ton permet paradoxalement d'avoir plus d'impact sur le (ou les) interlocuteur(s). Il faut que la voix soit posée, si possible tranquille et grave (ou basse). Une voix aiguë, à l'inverse, trahit la nervosité et n'a pas d'impact ! Parler doucement ne signifie pas être inaudible. Alors, faites attention de ne pas parler trop bas.

Quand vous avez quelque chose d'important à demander, essayez de le faire avec une voix un peu plus basse que la normale. Vous verrez, l'impact en sera renforcé.

En bref : il n'est pas toujours nécessaire de crier pour se faire entendre ! C'est même souvent le contraire.

Pourquoi ça marche ?

Vous vous souvenez de Marlon Brando dans *Le Parrain* ? Vous souvenez-vous de ce chuchotement qui trahissait le pouvoir du parrain sur son clan ? Quand le Parrain recevait des membres du clan dans son bureau, il parlait d'une toute petite voix... qui n'en était que plus effrayante !

« Si un malheureux accident devait arriver à Michael, s'il devait être un jour descendu par un flic, si on racontait qu'on l'a retrouvé pendu dans sa cellule, ou brusquement frappé par la foudre... alors je penserais que le vrai coupable est autour de cette table et là je serai impitoyable... » Tout cela dit doucement, d'une voix basse et très particulière. Brrr !

On peut aussi considérer que le fait de parler bas crée une atmosphère intimiste entre interlocuteurs. Quand on parle bas, les autres doivent tendre l'oreille pour vous comprendre. Instinctivement, ils se rapprochent de vous et s'ouvrent à vos arguments.

Enfin, parler bas est aussi une façon de donner de la gravité à des propos : « Jean-François est très malade », « Je suis fou de toi », etc.

Usages de la technique

La technique est adaptée dans un grand nombre de situations : lors de négociations, pour demander une augmentation, pour s'imposer dans un groupe, si vous devez répondre à une interview (votre calme trahit votre assurance), ou même face à des élèves dans une salle de classe !

Rappelez-vous comment votre professeur de français, qui parlait dans le vide depuis un bon moment, s'amusait tout d'un coup à baisser progressivement la voix... provoquant la surprise, puis l'attention de son auditoire !

Lors d'une conversation (à plusieurs ou en tête à tête), exercez-vous à baisser d'un ton. Cela prouve que vous avez confiance en vous et en vos arguments : vous n'avez pas besoin de hausser la voix pour vous faire entendre. En plus, la surprise créée par votre changement de volume va – au moins dans un premier temps – inciter les autres à vous écouter. Profitez-en pour avancer vos propositions, vos idées-forces.

En parlant bas, vous éveillez l'écoute active de votre auditeur.

Pour en savoir plus

Si vous êtes en pleine conversation et que celle-ci est dynamique, c'est-à-dire qu'il y a de l'énergie dans les discours, cassez le rythme en réduisant d'un coup le volume de votre parole lorsque vous avez quelque chose à demander.

Faites attention à ce que cela ne se remarque pas trop car vous pourriez éveiller les soupçons de votre interlocuteur : « Pourquoi tu te mets à parler tout bas ? Ça va pas ? Tu as quelque chose à cacher ? », etc.

Entraînez-vous avec vos proches avant de tenter la technique avec des inconnus ou avec votre patron avec qui vous devez renégocier votre salaire.

Quand on parle doucement, on parle aussi en général lentement. Notre corps est calme et notre parole n'a pas besoin d'être saccadée, heurtée, hystérique ! Tout le contraire des cris qui trahissent souvent une trop grande émotion, que l'on risque de regretter dans un second temps. Essayez de parler doucement, même quand vous sentez l'agacement poindre.

Repérer la technique (et éventuellement s'en protéger)

Cette technique est simple à repérer, puisque le volume ou l'énergie du discours baisse d'un coup… souvent au moment d'une demande que l'on veut vous faire.

Pour se protéger de la technique, synchronisez-vous tout simplement avec votre interlocuteur : vous aussi, parlez tout doucement. Vous allez voir, cela va le déconcerter !

11

« Vous auriez l'heure ? »

La technique du pied dans la porte

Cette technique est un classique. Vous vous promenez tranquillement dans la rue quand, soudain, un inconnu vous aborde :

— Excusez-moi, est-ce que je pourrais vous demander l'heure ?

Un peu surpris, vous vous exécutez néanmoins, ce n'est pas une demande qu'on refuse !

— Oui, bien sûr (vous dégainez votre portable). Voilà : il est 15 h 30.

— Ah, merci beaucoup… et au fait, excusez-moi mais… vous n'auriez pas un petit euro pour me dépanner ? Il me manque 1 euro pour prendre un ticket de métro, je viens de perdre mon portefeuille et je dois rentrer chez moi *(ou toute autre justification)*…

Un peu embêté, vous hésitez, vous faites la moue, et finissez par mettre la main à la poche, où vous trouvez justement 1 euro :

— Voilà. Au revoir, monsieur.

Vous venez de vous faire manipuler.

C'est prouvé !

En 1966, les psychologues américains Freedman et Fraser ont réalisé une expérience restée célèbre. Ils se sont fait passer pour des enquêteurs étudiant les habitudes alimentaires des Américains. Dans un premier temps, ils ont demandé à des ménagères d'accueillir des personnes chez elles afin d'examiner leurs placards pour les besoins de leur étude. Dans un second temps, ils ont *d'abord* appelé des ménagères pour leur poser une série de 8 questions, puis leur ont demandé d'accueillir des gens chargés d'examiner leurs placards.

Parmi les ménagères qui avaient subi une demande directe, 22,2 % d'entre elles ont accepté d'ouvrir leurs placards à des inconnus. En revanche, chez les ménagères qui avaient d'abord répondu à une série de 8 questions, ce taux est monté à 52,8 % !

Cet exemple illustre parfaitement la technique du pied dans la porte : une demande peu contraignante suivie d'une autre plus importante.

La technique en bref

La technique du pied dans la porte est très simple : elle consiste à faire une demande peu coûteuse, qui sera vraisemblablement acceptée, suivie d'une demande *plus coûteuse*. Cette demande a plus de chance d'être acceptée que si elle avait été exprimée d'emblée !

Pourquoi ça marche ?

Accepter de s'arrêter et de répondre positivement à la demande d'un inconnu (aussi infime soit-elle), c'est ce qu'on appelle en manipulation « un engagement », comme l'a théorisé le psychologue américain Robert Cialdini dans son livre *Influence et Manipulation*.

Une fois que vous avez répondu positivement à une première demande, vous êtes en quelque sorte engagé dans un processus d'acceptation : il est difficile de dire « non » à la seconde demande. Cela peut paraître étonnant... mais c'est prouvé !

Usages de la technique

Le pied dans la porte est un grand classique de la manipulation qui peut s'appliquer à bon nombre de situations : en famille, au travail, avec des amis... le champ d'action est relativement grand !

Cette technique fonctionne à merveille dès que l'on a quelque chose d'un peu délicat à demander à quelqu'un.

Par exemple, au travail :

— Bonjour, Isabelle, pourrais-tu me prêter le dossier Durand ?

— Voilà.

— Merci. Ah, au fait, je voulais te demander quelque chose : est-ce que tu accepterais cette année de prendre tes vacances en juillet plutôt qu'en août ? *(Suivi éventuellement d'une justification :)* J'ai prévu de partir en Grèce avec ma chérie et elle ne peut qu'en août.

Avec un ami :

— Tu pourrais me prêter ta voiture, ce week-end ?
— Sans problème.
— Oh, merci beaucoup. Tu es vraiment quelqu'un de généreux[1].

Le lendemain, vous retrouvez votre ami au moment où il vous passe les clés de sa voiture.

— Merci encore. Tu sais, avec ma copine, on a prévu de faire un tour du côté de Deauville. Est-ce qu'on pourrait éventuellement dormir dans ton studio de plage ?
— Eh bien... oui, pourquoi pas ? Attends, je vais te donner aussi les clés du studio.

Pour en savoir plus

La technique est simple. L'essentiel est de respecter *la progressivité* entre la première et la seconde demande.

Par exemple, dans la situation qui implique votre ami : ne commencez pas par lui demander une cigarette si vous visez son appartement de plage ! Demandez-lui plutôt sa voiture... puis l'appartement !

Repérer la technique (et éventuellement s'en protéger)

Le piège de l'engagement est un classique. Sachez désamorcer cet engagement !

---

1. Ici, vous employez la technique de l'étiquetage qui est expliquée en p. 105.

Afin de ne pas vous laisser manipuler par la technique du pied dans la porte, n'hésitez pas à accepter une première demande (une cigarette ? l'heure ? le dossier Durand ?) *et à refuser la seconde demande*, plus coûteuse.

Vous pouvez d'ailleurs vous appuyer sur votre premier coup de pouce pour refuser, poliment, une seconde demande :

— J'ai accepté de te prêter ma voiture mais pour l'appartement, désolé, je ne préfère pas. *(Suivi éventuellement d'une justification :)* ma mère ne veut pas que je le prête à des gens qu'elle ne connaît pas.

12

« Tu me prêtes 2 000 euros ? »

La technique de la porte au nez

Qui n'a jamais entendu une petite fille dire à son père :

— Papa, achète-moi un vélo !
Son père :
— Non, c'est hors de question !
La fille :
— Alors, achète-moi une glace.
— Bon, une glace, d'accord.

Cette petite fille, probablement inconsciente des techniques de manipulation, applique pourtant une technique très efficace : celle de la porte au nez.

C'est prouvé !

Le psychologue américain Robert Cialdini a prouvé la technique de la « porte au nez » grâce à l'expérience que voici[1] :

1. Cialdini, Vincent, Lewis, Wheeler et Darby (1975).

Dans un premier temps, il a demandé à différents étudiants la chose suivante : seraient-ils d'accord pour accompagner, deux heures durant, un groupe de jeunes délinquants au zoo de la ville ? Seuls 16,6 % d'entre eux acceptèrent. Dans un second temps, Robert Cialdini s'est adressé à d'autres étudiants : seraient-ils d'accord pour devenir des sortes de « grands frères » de jeunes délinquants en donnant de leur temps, disons deux heures par semaine pendant deux ans ! Tous les étudiants refusèrent cette demande très accaparante ! C'est alors que Robert Cialdini leur formula une seconde requête : accepteraient-ils au moins d'accompagner les délinquants au zoo deux heures durant ? Les étudiants étaient, cette fois, 50 % à accepter !

La technique en bref

La technique de la porte au nez consiste à formuler une demande très importante que l'interlocuteur a de grandes chances de refuser.

Faites alors machine arrière, en formulant une demande *moins importante*.

Cette fois, l'interlocuteur a des chances d'accepter !

Pourquoi ça marche ?

Cette technique marche parce que votre interlocuteur, en refusant la première demande, ressent inconsciemment un sentiment de culpabilité. Pour dissiper ce sentiment de culpabilité, il a tendance à accepter la seconde demande !

Il est possible aussi que votre interlocuteur, s'apercevant que vous faites machine arrière et formulez une demande *moins importante*, se sente incité à faire lui aussi une concession. C'est le principe de réciprocité : « L'autre fait un effort (il propose une requête moins coûteuse), je me sens obligé de faire un effort aussi : j'accepte sa seconde requête. »

Usages de la technique

La technique s'utilise en famille, avec vos amis, au travail, partout. Comme pour « le pied dans la porte », « la porte au nez » est parfois bien utile pour obtenir ce qu'on veut.

Exemples.

Avec un ami :

— Salut, Jérôme. Excuse-moi de te déranger, mais j'ai vraiment de gros soucis d'argent en ce moment... Est-ce que tu pourrais me prêter 2 000 euros ? Ça me dépannerait drôlement, tu sais.

— Salut, Christophe, j'étais au courant de tes soucis d'argent. Écoute, je ne sais pas si je vais pouvoir. 2 000 euros, c'est vraiment une très grosse somme...

— Dans ce cas, pourrais-tu me prêter au moins 100 euros pour finir ma semaine ? Ça m'aiderait déjà beaucoup...

— 100 euros ? Bon, c'est d'accord. Accompagne-moi au distributeur, je te les donne tout de suite.

En famille (si vous avez des enfants) :

— Salut, maman, tu vas bien ?

— Oui, merci et toi ?

— Oui. Écoute, j'ai un service à te demander : Séverine et moi, on travaille énormément en juillet et ensuite on a prévu de partir en amoureux en Grèce. Est-ce que tu voudrais bien garder tes petits-enfants pendant le mois de juillet, disons du 1er au 30 ?

— Oh là là, tout le mois de juillet, ça va être compliqué : j'ai mon stage d'aérobic au début du mois. Et puis tu sais, je commence à me faire vieille, un mois avec mes petits-enfants, ça fait beaucoup...

— Alors, peut-être que tu pourrais les prendre seulement quinze jours à la fin du mois ?

— Dans ce cas, si c'est quinze jours... Oui, je devrais pouvoir m'arranger.

Pour en savoir plus

Votre première demande ne doit pas être trop extravagante ! « Tu pourrais me prêter ta maison toute l'année ? » Sinon, votre interlocuteur ne la prendra pas au sérieux...

Formulez donc une première demande très importante mais réaliste.

— Tante Adèle, est-ce que tu pourrais me prêter ton salon tous les jeudis après-midi ? C'est pour ma réunion avec mon club de lecteurs de mangas.

— Ah non, pas question.

— Alors, est-ce que tu me le prêterais juste le jeudi 27 ?

— Eh bien, si c'est juste le jeudi 27... pourquoi pas ? Bon, c'est d'accord.

Il faut que votre interlocuteur puisse refuser une première demande réaliste (mais importante) afin d'être mis en condition pour répondre favorablement à la seconde.

Repérer la technique (et éventuellement s'en protéger)

Il n'est pas toujours facile de refuser deux fois de suite. Néanmoins, si vous repérez la technique de la porte au nez (une demande extravagante suivie d'une demande plus modeste), n'hésitez pas à refuser nettement *l'une et l'autre demandes*.

Si vous acceptez la seconde demande, ce qui est aussi une option, dans ce cas-là, souvenez-vous du cadeau que vous faites (du service que vous rendez) ! Un mécanisme de dette s'enclenchera chez votre interlocuteur (voir technique, p. 193) dont vous pourrez faire usage lors d'un prochain échange :

— Dis donc, tu pourrais me rendre ce service, quand même ! La dernière fois, je t'ai prêté 100 euros, tu te souviens ?

Pas très subtil… mais efficace !

13

« Oui, oui, oui, oui… et oui ! »

La technique du « yes set »

Vous êtes d'accord pour que je vous présente une technique de manipulation très appréciée des vendeurs ?

Oui ?

Alors, lisez attentivement le dialogue qui suit.

Dans un grand magasin, un vendeur s'adresse à un client :

— Bonjour, vous allez bien ?

— Oui, merci.

— Vous avez vu, le soleil est enfin revenu ?

— Oui, il fait vraiment beau aujourd'hui.

— Pourvu que ça dure, ça fait du bien au moral, vous ne trouvez pas ?

— Oui, j'espère qu'il fera encore beau ce week-end.

— Vous cherchez un téléviseur HD ? Vous savez, bien sûr, que nous avons le meilleur rapport qualité/prix sur ce type de produit ?

— Euh, oui, c'est ça.

— Est-ce que vous voulez que je vous montre le produit qui fait un carton, en ce moment ?

— Bien sûr, montrez-le-moi.

Et voilà, la manipulation a eu lieu !

C'est prouvé !

Richard Bandler et John Grinder, les fondateurs de la PNL, définissent dans leur livre *La Structure de la magie* environ 40 modèles linguistiques différents utilisés par Milton Erickson, le célèbre hypnothérapeute de génie. Erickson avait régulièrement recours à ces modèles pour influencer ses clients et s'assurer qu'ils avaient bien suivi ses suggestions. Ce sont des outils puissants, aussi bien pour une utilisation dans une situation d'apprentissage ou de pédagogie que dans la vie en général. Le *yes set* utilisé par Milton Erickson est devenu une pratique courante dans la vente !

Le *yes set* est également couramment utilisé par les intervenants publics et les politiciens. En recevant trois faits incontestables l'un après l'autre (la personne acquiesce en disant « oui »), l'inconscient est alors susceptible de prendre la prochaine déclaration ou demande comme vraie ou essentielle.

Il existe une variante du *yes set*, c'est le *yes tag* dont voici un exemple réel issu de la pratique de Milton Erickson :

« *Il est 10 heures*, nous avons terminé *la première tâche, il nous reste trente minutes* avant la fin de la séance alors maintenant il est temps de penser à plusieurs bonnes questions dont nous allons pouvoir discuter, n'est-ce pas ? »

Trois faits indiscutables sont mis bout à bout, puis vient une proposition qui déclenche inévitablement l'acquiescement du patient. C'est ce qu'on appelle un « *yes tag* ». Il est encore plus difficile de le contrer lorsque l'interlocuteur ajoute : « C'est vrai, n'est-ce pas ? » Si ce dernier incline la tête en prononçant ces mots, cela augmente considérablement son efficacité !

Dans les années 1980, les deux psychologues Wells et Petty ont quant à eux étudié l'effet du hochement de tête commet technique d'influence. Plus on multiplie les hochements de tête, plus votre interlocuteur a envie de faire de même. En effet, les humains ont tendance à se mimer les uns les autres, surtout quand il s'agit de mouvements à connotation positive. Les scientifiques concluent leur étude en conseillant de bouger régulièrement la tête en signe d'acquiescement quand vous avez besoin de convaincre un interlocuteur. Ce mouvement est irrésistible pour l'autre... qui le reproduira instinctivement et sera amené à juger favorablement ce que vous dites sans même s'en apercevoir.

La technique en bref

Le *yes set* est une technique très utilisée par les vendeurs. Face à un client potentiel, l'idée est de poser des questions qui entraînent forcément une réponse positive. Ce peut être des questions anodines, sur le temps, la santé, etc.

La technique du *yes set* met en place une routine d'acceptation. Au bout d'un certain nombre de « oui », le vendeur formule alors la proposition à laquelle il souhaite réellement que le client adhère (par exemple : « Voulez-vous acheter cette télévision dernier cri ? »).

Pourquoi ça marche ?

Répondre « oui » de manière répétée finit par créer une « faille » inconsciente chez la personne qui acquiesce en permanence.

Après quelques questions banales qui sont autant d'évidences (auxquelles on ne peut répondre que par l'affirmative), notre esprit est conditionné à dire « oui ». Il est dès lors plus à même d'accueillir la suggestion finale.

Usages de la technique

La technique peut s'utiliser dans de nombreuses circonstances.

Voici quelques exemples :

Avec une personne que vous voulez séduire :
— Toi, Chloé, tu es une grande sensible, non ?
— Oui, tu as raison, je suis trop fragile je crois, l'autre jour ce mec m'a à peine parlé alors que je lui avais fait un grand sourire, et…
— Tu voudrais quelqu'un qui te comprenne, toi.
— Oui, c'est vrai. Oui, j'aimerais mais…
— Tu cherches l'amour, en fait ?
— Oui.

À partir de là, injectez votre proposition :

— Bon, et sinon, ça te dirait un petit restau demain soir ? Juste tous les deux ?
— Euh, oui, OK.

Au travail :

— Bonjour, chef, vous allez bien ?

— Oui, Bastien, je te remercie et toi ?

— Je vais bien, merci. Dites, j'ai vu la progression du chiffre d'affaires le mois dernier, vous devez être content ?

— Oui. Je suis ravi.

— D'ailleurs ce mois-ci, c'est pareil je crois, non ?

— Oui, ça s'annonce bien en tout cas.

— Super ! Dites, chef, je voulais savoir si vous auriez le temps cette semaine pour qu'on évoque mes projets d'évolution au sein de l'entreprise ?

— Heu... oui, Bastien. Viens me voir quand tu veux en fin de semaine, d'accord ?

— OK, chef, merci !

Pour en savoir plus

Un petit conseil : pendant que vous posez les questions qui conditionnent le « oui », ne perdez pas de vue votre objectif final.

Les *yes set* n'est pas un jeu ! Certes, il faut que la personne dise un maximum de « oui » pour être conditionnée. Mais il faut aussi que le sujet dont vous parlez se rattache à ce que vous voulez demander :

Si vous voulez que votre conjoint accepte l'idée d'un voyage en Inde alors qu'il est *a priori* plutôt rebuté par la pauvreté, commencez comme ceci :

— Ma chérie, tu aimes les pays chauds ?

— Oui.

— Et tu as envie d'exotisme, en ce moment ?

— Oui.

— Si je ne me trompe pas, tu es passionnée par la spiritualité, la culture…

— Exact.

— Alors l'Inde est faite pour toi ! J'ai pré-réservé un séjour, tu veux voir ?

— Euh, bon d'accord, montre-moi.

Repérer la technique (et éventuellement s'en protéger)

La routine d'acceptation (« oui, oui, oui… ») est difficilement repérable. Quand on dit « oui » et qu'on acquiesce à des banalités dans le cours d'une conversation, on ne se rend pas toujours compte de ce qui se passe.

Pour vous en protéger, analysez uniquement l'offre finale : Est-ce que vous souhaitez vraiment répondre « oui » à la demande que l'on vous fait ?

14

« Petit, petit, petit... viens par ici ! »

La technique de l'amorçage

Vous marchez sur le boulevard. Vous passez devant une concession automobile : « En ce moment, toutes les voitures neuves à – 30 % ! »

Attiré, vous entrez. Vous avez justement besoin d'une nouvelle voiture.

Le vendeur vous accueille aimablement. Il vous présente les différents modèles.

À un moment donné, il s'éloigne pour prendre un appel.

Il revient, l'air désolé : « En fait, la réduction à – 30 % ne s'applique plus : l'offre a expiré hier soir. »

Quel dommage ! Un peu déçu, vous continuez cependant à écouter le vendeur. Vous veniez justement de dire que la petite berline vous intéressait. Tant pis, vous la prendrez quand même. Mais au prix fort, cette fois...

Vous avez été manipulé ! C'est la technique de l'amorçage.

C'est prouvé !

La technique de l'amorçage est connue dans les pays anglo-saxons sous le nom de *low ball*. D'après l'auteur M.D. Carlson, qui lui a consacré un ouvrage en 1973, elle serait particulièrement employée dans le secteur de l'automobile.

Cinq ans plus tard, en 1978, le célèbre psychologue Robert Cialdini a démontré l'efficacité de l'amorçage au travers d'une étude restée cb élèbre. Il s'agissait d'amener des étudiants en psychologie sociale à participer à une série de tests rapportant des points pour l'obtention de leur diplôme.

Dans le premier cas, on appelait les étudiants en leur annonçant que le seul créneau disponible était 7 heures du matin.

Dans le second cas, on demandait aux étudiants s'ils voulaient bien participer à ces tests, sans préciser l'heure. Ensuite, on les rappelait pour leur dire que le seul créneau disponible était 7 heures du matin.

En demandant directement aux étudiants de participer à des tests programmés à 7 heures du matin, le taux d'acceptation était de 31 %. Avec amorçage, ce taux passait à 56 % !

La technique en bref

Pour « amorcer » quelqu'un, il faut l'attirer ! Soit en lui faisant miroiter des avantages fictifs (comme dans le cas de la voiture à – 30 %), soit en lui cachant certains inconvénients, ce qui revient au même.

Une fois que la personne a « amorcé » son action (elle entre dans la concession automobile en se disant « Je vais acheter une voiture »), elle a tendance à s'y tenir...

Pourquoi ça marche ?

Comme avec « le pied dans la porte », le principe de *l'engagement* s'applique : vous êtes entré chez le vendeur dans l'idée d'acheter une voiture ? Eh bien, malgré l'absence de réduction, vous persévérez dans cette idée.

Vous avez envie de rester *cohérent* avec votre action, quoi qu'il arrive.

Usages de la technique

Pour convaincre des amis (des proches, des clients), mettez toujours en avant les points forts et occultez les points faibles ! Ce qui compte, c'est d'engager l'autre dans l'action.

Vous voulez que votre ami Ronan vous emmène en voiture à une fête ? Dites-lui : « Il y aura sûrement Mélanie à la soirée. » Après tout, vous n'en êtes pas sûr... mais il faut que Ronan ait envie d'aller à cette fête (Mélanie est donc un bon argument).

Ronan est un peu radin ? Ne dites pas que l'entrée est à 30 euros. S'il demande : « Elle coûte cher, cette soirée ? », répondez : « Oh, je ne sais pas. Non, je ne crois pas. » Une fois sur place, votre ami acceptera certainement d'entrer et de payer 30 euros : il voudra rester cohérent avec l'action qu'il a engagée.

Pour en savoir plus

Pour bien amorcer, il faut se mettre à la place de l'autre :

• trouver ce qui pourrait intéresser la personne... et mettre ces éléments en avant !

• savoir ce qui pourrait gêner la personne... et ne pas en parler !

Ensuite, laissez faire l'amorçage ! Laissez parler le principe de cohérence et d'engagement qui agissent toujours très puissamment chez les êtres humains.

Avez-vous remarqué ? Les SDF sont friands d'un certain type d'amorçage : ils mettent toujours quelques piécettes au fond de leur gobelet pour vous donner envie de donner. Ici, cela s'apparente aussi à la preuve par les autres (« puisque les autres donnent, je vais donner aussi »).

Repérer la technique (et éventuellement s'en protéger)

Les vendeurs adorent vous amorcer, vous appâter ! Ne vous laissez pas piéger. D'abord, demandez toujours des détails sur l'offre en question.

Si jamais vous êtes entré dans un magasin qui promet – 30 % et qu'au final, la réduction ne s'applique plus, vous avez deux options :
• soit quitter immédiatement le magasin ;
• soit vous appuyer sur cet amorçage manqué pour établir un rapport de force avec le vendeur.

Dans le second cas, vous pourriez attaquer comme ceci :

— Je vois que la réduction de 30 % ne s'applique plus. Pourtant, c'est justement pour ça que je suis entré dans le magasin. Que proposez-vous en échange ?

15

« Attention ! Ouf, tout va bien… »

La technique de la crainte-puis-soulagement

Dans les films ou les séries américaines, les policiers utilisent souvent cette technique au moment des interrogatoires : d'abord, ils menacent, hurlent, frappent parfois ; ensuite, ils rassurent (on offre un café, une cigarette). C'est une bonne technique pour forcer quelqu'un à avouer. Le contraste entre l'agressivité et la douceur est très puissant. Quand le suspect a eu très peur, il se détend ensuite brutalement… et se met à tout avouer.

La technique de la crainte-puis-soulagement est une technique de manipulation classique.

C'est prouvé !

En Pologne, Dolinski et Nawrat ont fait l'expérience suivante.

Dans une ville du sud du pays, des automobilistes trouvaient un petit papier de la taille d'une contravention sur leur pare-brise : *crainte !* Heureusement, ce n'était qu'une publicité pour un produit capillaire : *soulagement !* C'est alors qu'une jeune femme apparaissait : « Voudriez-vous remplir un questionnaire pour moi ? Cela ne prendra que quinze minutes. » 62 % des personnes interrogées acceptèrent, contre seulement 32 % pour le « groupe contrôle », qui n'avait trouvé aucun papier sur son pare-brise.

Cette expérience prouve que l'alternance de crainte puis de soulagement rend les gens plus réceptifs, plus ouverts, plus enclins à accepter les demandes d'autrui.

La technique en bref

La technique de crainte-puis-soulagement se fait en deux temps. D'abord, on suscite la peur chez le sujet. Ensuite, on le rassure.

Pourquoi ça marche ?

L'alternance de crainte et de soulagement permet d'attirer l'attention de la personne. La crainte suscite un intérêt immédiat, comme un réflexe ! Elle demande à l'individu un gros effort de focalisation, les sens sont en alerte.

Ensuite, quand la pression se relâche, la personne est plus encline à écouter, comprendre, accepter.

Qu'il y ait soulagement ou non, la crainte est un puissant levier d'influence. C'est pour cela que la prévention routière ou les associations caritatives l'utilisent largement. Ces spots télévisés terribles, où l'on voit des accidentés de la route, nous incitent à ralentir. Les associations d'aide aux plus démunis communiquent parfois sur le mode : « Et si demain, vous vous retrouviez à la rue… »

Usages de la technique

Ayez recours à cette technique si vous prospectez par e-mail, par exemple. Il ne s'agit pas de faire réellement peur aux gens mais d'utiliser une tournure susceptible d'éveiller une inquiétude, un regret, un manque…

« Si vous ne lisez pas ce mail, vous perdez quelque chose ! »

Enchaînez avec un contenu qui rassure :

« En effet, vous perdez l'occasion de découvrir le livre *Manipuler, pourquoi et comment* et son riche contenu… »

Évidemment, vous pouvez utiliser aussi cette technique en famille ou dans un contexte d'éducation.

En famille (une mère à son enfant) :
— Attention, j'entends ton père rentrer !

L'enfant qui n'arrêtait pas de chahuter se raidit… fausse alerte ! Il a momentanément délaissé ses jouets qu'il balançait à travers la pièce.

C'est alors que la mère lui demande :

— Tu veux bien aller ranger ta chambre, maintenant ?

Dans une salle de classe (une prof de terminale, excédée) :
— Puisque c'est comme ça, je mets zéro à tout le monde et ça comptera pour le bac blanc !

Cela jette un froid dans la salle (les notes du bac blanc étant reportées sur les dossiers d'admission aux grandes écoles).

— Bien, sortez vos cahiers... Je ne mets pas zéro mais je voudrais maintenant que tout le monde soit attentif.

La technique de la crainte puis soulagement agit un peu comme une menace de très courte durée (voir p. 174 pour la technique de la menace). Il y a comme une menace qui se dissipe très rapidement. C'est ce contraste qui rend la cible plus influençable, plus manipulable.

Pour en savoir plus

Pour réussir cette technique, il faut connaître un minimum la personne et trouver ce qui va susciter la peur chez elle. Il ne faut pas se contenter de surprendre, il faut vraiment créer un stress intense ! Pour ce faire, il faut avoir identifié la « corde sensible » de la personne : son couple, son travail, ses enfants, ses passions...

En créant la peur, on suscite l'attention de la personne.

Repérer la technique (et éventuellement s'en protéger)

Il n'est pas forcément évident de repérer la technique : quand elle est utilisée contre nous, nous sommes tellement submergés par l'angoisse que nous ne sommes pas à même de percevoir la manipulation ! Pour en être conscient(e), il faut prendre du recul et remarquer si notre interlocuteur cherche à soulager notre crainte, pour enchaîner sur une demande particulière.

Si vous êtes l'objet d'une telle manipulation, remettez rapidement la personne en place en lui priant de ne jamais s'amuser à vous faire peur de la sorte : dites que vous lui en voulez et que vous refusez sa proposition. Croyez-moi, la personne n'est pas près de recommencer.

16

Toucher n'est pas jouer

La technique du toucher

Ah, ces hommes politiques ! Ce sont des experts en manipulation. Ils aiment serrer des mains sur les marchés, embrasser des bébés, etc. Ils savent que créer un contact direct, physique avec l'électeur, c'est s'assurer de sa bienveillance.

En manipulation, le toucher est une technique très puissante !

C'est prouvé !

La technique du toucher est l'une de celles qui ont été les plus étudiées et les plus attestées. Il existe des centaines d'expériences scientifiques qui en ont démontré les effets. Certaines, très simples, ont été menées en France au début des années 2000 par le chercheur en sciences du comportement Nicolas Guéguen (université de Bretagne-Sud).

L'une d'elles consiste à demander dans la rue de l'argent à un inconnu : « Auriez-vous une ou deux petites pièces pour me dépanner ? » Dans 72 % des cas, les gens refusent. En revanche, lorsque le demandeur touche l'avant-bras de son interlocuteur, ce taux de refus tombe à 53 % ! Il s'est donc passé quelque chose...

Qu'on le veuille ou non, être touché ne laisse pas indifférent et influence généralement positivement les gens. Néanmoins, ne vous avisez pas de toucher n'importe qui, n'importe où ! N'utilisez pas la technique du toucher avec un *bad boy* du Bronx pour qu'il vous aide à porter vos bagages : vous serez surpris de sa réaction !

La technique en bref

La technique du toucher consiste à toucher *de façon précise* un interlocuteur de manière à affecter favorablement son jugement, ses sentiments et son ressenti.

La version la plus simple, c'est le *toucher de l'avant-bras*. Voyez comment les enfants touchent leurs parents en accompagnant ce geste d'un long « s'il te plaît ! » Ce faisant, ils orientent favorablement la réponse de leurs interlocuteurs. Vous aussi, vous pouvez le faire ! Une fois parvenu à l'âge adulte, n'hésitez pas à toucher de façon ciblée la personne que vous voulez influencer.

Pourquoi ça marche ?

Très tôt, le toucher entre dans notre vie. Pendant notre petite enfance, nous sommes touchés toute la journée par nos parents qui s'occupent de nous. La maman (le papa) touche son bébé, l'embrasse, le cajole, procède à sa toilette, prend soin de lui par mille manières qui impliquent le toucher, expérience archaïque profondément liée à l'affectif. Sans le toucher, point de démonstration d'amour. D'ailleurs, un nourrisson privé entièrement de toucher peut mourir ou développer un syndrome de nanisme ! Pas étonnant que quand vous touchez votre interlocuteur, vous éveilliez chez lui des sensations profondes, à même d'influencer son comportement.

Si le toucher est amour, il peut aussi susciter le rejet ! Quoi de plus désagréable que d'être touché par inconnu que l'on juge peu attirant ? Toucher l'autre, c'est entrer dans sa sphère intime. Attention donc à « comment », « quand » et « qui » vous touchez...

Usages de la technique

Les applications concrètes de cette technique sont nombreuses, notamment si vous souhaitez qu'une personne accède à l'une de vos demandes. En touchant l'autre, vous actionnez un levier qui va puiser profondément dans la mémoire affective de votre interlocuteur.

Ne touchez pas une hôtesse de l'air pour qu'elle vous apporte un verre d'eau (elle accédera à votre demande de toute façon). En revanche, imaginons que votre avion soit en phase de descente et que vous ayez une envie pressante d'aller aux toilettes ! En temps normal, il est interdit de se lever et les ceintures doivent être attachées. Si vous appuyez sur la sonnerie d'appel, quelqu'un ne manquera pas d'arriver, légèrement agacé. Idéalement, touchez alors tout de suite l'avant-bras de l'hôtesse et expliquez-lui que vous avez une envie très urgente. Vous avez 47 % de chances que ça marche... contre seulement 28 % si vous ne lui touchez pas l'avant-bras.

À l'inverse, dans des situations plus formelles (entretien d'embauche par exemple), le toucher paraîtra déplacé. Vous vous êtes déjà serré la main en arrivant (puis en repartant) et cela suffit. Dans cet échange, le toucher est strictement codifié : il passe uniquement par la poignée de main.

Pour en savoir plus

Détaillons à présent la technique du toucher, comme dans l'exemple de l'hôtesse de l'air. Cette fois, c'est un serveur dans un bar à qui vous voulez demander quelque chose.

Le serveur vient de vous apporter votre plat et vous souhaite un bon appétit. Hélas, entre-temps, votre envie a changé : ce n'est plus du riz que vous voulez avec votre grillade mais des légumes verts. Comment faire ? Quand le serveur a posé les plats et s'apprête à repartir, touchez-lui discrètement l'avant-bras et formulez votre demande : « Excusez-moi, mais je préférerais des légumes verts avec la viande. Vous croyez que c'est possible de changer ? »

Voici le protocole :

- ne touchez pas la main du serveur, ce serait trop intime ;
- ne touchez pas non plus son épaule (si vous êtes à sa hauteur) ; l'épaule est trop proche de la tête et, surtout, elle est moins liée à l'affectif que l'avant-bras ;
- touchez-lui simplement l'avant-bras, sans trop insister.

Vos paroles (la formulation de la demande) doivent coïncider avec le contact physique, *qui doit être léger et bref* (mais pas non plus trop furtif).

Repérer la technique (et éventuellement s'en protéger)

Si vous ne souhaitez pas que quelqu'un joue avec vos sentiments, comme un commercial ou un séducteur invétéré, restez à distance !

Les êtres humains observent naturellement une certaine distance physique entre eux qui dépend du type d'échange. Avec un intime, vous pouvez être à moins de 50 cm de distance. Avec un ami, la distance est comprise entre 50 cm et 1,2 m. En revanche, il n'est pas naturel qu'un vendeur dans un magasin s'approche de vous à moins de 1 m ! La distance sociale observée devrait être d'1,50 m/2 m... Si le vendeur semble vous « coller », peut-être cherche-t-il à vous toucher pour vous influencer ? Peut-être vient-il de le faire, en vous touchant discrètement l'avant-bras pour vous guider vers le coin des nouveautés ?

Moralité : ne vous laissez pas toucher par n'importe qui. N'hésitez pas à reculer ou à marquer la distance si l'on s'approche trop près de vous. Dans un magasin, par exemple, cela pourra signifier à l'interlocuteur que vous ne voulez pas vous laisser influencer. Et que, de toute façon, vous n'aimez pas être touché par un inconnu...

17

« Vous êtes libre de refuser... »

La technique de l'illusion de liberté

À Paris, près du Centre Pompidou, des masseuses chinoises se sont installées dans la rue. Elles proposent cinq minutes de « massage qui détend ». Le tarif ? « Vous donnez ce que vous voulez. »

On pourrait se dire que de très nombreuses personnes vont profiter de l'aubaine et se faire masser gratuitement. Eh bien, je peux vous assurer que très peu de personnes repartent sans payer !

La technique ? L'illusion de la liberté, bien sûr. Les gens n'aiment pas qu'on les oblige. En leur rappelant qu'ils sont libres (de donner, de faire ou pas ce qu'on leur demande...), on a plus de chances d'obtenir ce qu'on veut d'eux.

C'est prouvé !

Nicolas Guéguen (université de Bretagne-Sud) a fait l'expérience suivante. Il demandait un peu d'argent à des passants pour prendre le bus. Dans le premier cas, la requête était formulée comme suit :

— Auriez-vous un peu d'argent pour prendre le bus, s'il vous plaît ?

Dans le second cas, il ajoutait :

— Mais vous êtes libre d'accepter ou de refuser.

Résultat : dans le second groupe, quatre fois plus de personnes ont accepté de donner... et ils donnaient deux fois plus !

Nicolas Guéguen a renouvelé l'expérience deux ans après avec les sapeurs-pompiers, au moment de la traditionnelle vente de calendriers ! En sonnant chez les gens, le pompier « complice » disait : « Les gens donnent en général 30 francs (5 euros). »

Une fois sur deux, il rajoutait : « Mais vous êtes libre de donner ce que vous voulez ! » Dans ce cas, les gens donnaient davantage (8 euros, contre 6 en condition contrôle).

La technique en bref

La technique de l'illusion du libre arbitre consiste à insérer dans votre discours des phrases rappelant le libre arbitre de votre interlocuteur, du type :

« Vous donnez ce que vous voulez. »
« Votre participation est bienvenue. »
« Vous êtes libre de refuser. »
« C'est toi qui vois. »
« Tu fais comme tu veux. »

Simple, non ?

Pourquoi ça marche ?

Étonnamment, on obtient plus des autres en faisant appel à leur sentiment de liberté qu'en leur imposant quelque chose. Les internautes iront plus volontiers vers une bannière qui dit : « Vous êtes libre de cliquer ici » que : « Cliquez ici ! » Le sentiment de liberté conditionne nos actes. Il faut toujours nous le rappeler pour nous donner envie de faire quelque chose. La formule « *C'est toi qui vois* » est redoutablement efficace : en disant cela, on fait semblant de laisser à l'autre le choix alors qu'en réalité, on le culpabilise ! Du coup, il a plus de chances d'aller dans votre sens...

Usages de la technique

Cette technique peut être utilisée souvent, particulièrement avec les personnes que vous savez réticentes à l'autorité. Vous pouvez l'employer avec n'importe qui, dès lors que vous voulez obtenir quelque chose et surtout quand vous pensez qu'on risque de vous refuser ce que vous demandez. Une requête assortie d'un : « Tu es libre d'accepter ou de refuser » fonctionnera toujours mieux qu'une demande classique.

Vous déménagez ce week-end et vous avez besoin d'au moins six amis pour vous seconder ! Vous pouvez envoyer un e-mail collectif à tous vos amis, du genre : « Qui vient m'aider à déménager ce week-end ? » Deux ou trois bonnes âmes se déclareront sans doute partantes... Mais votre taux de réussite sera plus élevé si vous contactez nommément chaque personne. Utilisez la technique à ce moment-là :

— Salut, François, tu vas bien ? Écoute, je déménage ce week-end et je voulais savoir si tu pouvais m'aider à déménager. Oui, c'est samedi à 10 heures... mais sens-toi libre de refuser, bien sûr, si tu as d'autres choses à faire !

Vous allez maximiser votre taux d'acceptation et constituer bien vite votre équipe de déménageurs !

Pour en savoir plus

On l'a vu, il y a plusieurs expressions qui permettent de donner l'illusion de la liberté.

« Tu/ Vous êtes libre de... » est la plus classique et certainement la plus efficace. Le mot « liberté » est clairement énoncé.

Mais vous pouvez aussi employer les locutions suivantes, elles aussi très utiles pour manipuler dans le bon sens votre interlocuteur :

« Vous faites comme vous voulez. »
« C'est toi qui vois. »

Repérer la technique (et éventuellement s'en protéger)

Il suffit d'écouter ! « C'est toi qui vois », « Tu es libre de refuser », etc. Votre interlocuteur tente peut-être de vous manipuler ?

Si ce que votre ami vous propose ne vous arrange vraiment pas, prenez-le au mot avec humour :

— Oui, comme tu le dis si bien, je suis « libre de refuser », donc je refuse ! Désolé, mais je ne peux vraiment pas...

18

« Toi qui es si généreux... »

La technique de l'étiquetage

— Patrick, je sais que tu es généreux avec tes amis et que tu as souvent aidé des gens qui avaient de petits problèmes d'argent. En ce moment, c'est un peu difficile pour moi... Ça me gêne de te demander ça, mais est-ce que tu pourrais me prêter 100 euros ?

Cette entrée en matière va vous permettre d'obtenir plus facilement 100 euros que si vous aviez demandé la somme d'emblée ! Vous venez « d'étiqueter » votre interlocuteur en lui attribuant une qualité... dont vous espérez qu'il fera preuve en vous prêtant les 100 euros demandés !

Et ça marche ! Lisez attentivement ce qui suit pour bien comprendre le mécanisme de cette manipulation.

C'est prouvé !

De nombreuses études ont prouvé l'efficacité de la technique dite « de l'étiquetage ».

Une étude des chercheurs Miller, Brickman et Bolen (1975) s'est focalisée sur des enfants de 8 à 11 ans.

À un premier groupe, on disait qu'il ne faut pas jeter des papiers par terre car il ne faut pas salir, être propre, etc. À un deuxième groupe, on leur faisait simplement savoir qu'ils étaient des enfants propres et ordonnés (étiquetage). À un troisième groupe, on ne disait rien.

Après avoir distribué plein de bonbons à ces enfants, les chercheurs comptèrent le nombre de papiers par terre : les enfants du deuxième groupe (ceux qui avaient été étiquetés « propres et ordonnés ») se montrèrent les plus ordonnés !

L'étiquetage fonctionne bien sûr aussi avec les adultes. Les chercheurs Strenta et DeJonc (1981) en ont apporté la preuve. Sur la base d'un prétendu test de personnalité, ils ont dit à un premier groupe de personnes que le test montrait qu'ils étaient « gentils et bienveillants », à un deuxième groupe qu'ils étaient « intelligents », et rien au troisième groupe. Les chercheurs firent ensuite tomber un paquet de cartes. Ce sont les individus du premier groupe, étiquetés « gentils et bienveillants », qui ont eu le plus tendance à ramasser les cartes !

La technique en bref

La technique est simple. Attribuez à la personne que vous voulez manipuler une qualité ou un trait de caractère qui correspond à ce que vous souhaiteriez qu'elle fasse.

Par exemple, avec vos enfants :

— Colette et Théo, vous êtes des enfants bien élevés et vous êtes très ordonnés avec vos jouets. Alors est-ce que vous voudriez bien, maintenant, s'il vous plaît, ranger votre chambre ?

Ou encore, au travail, avec un membre de votre équipe :

— Dis-moi, Alexis, j'ai remarqué que tu faisais partie de ceux qui rendent toujours à temps leurs dossiers. On est pas mal en rush en ce moment sur l'appel d'offres Durand. Tu sais quand tu pourras me rendre le devis Durand finalisé ?

En revanche, ne dites pas :

— Jérôme, toi qui es si brillant et si intelligent, pourrais-tu me prêter 100 euros ?

Cela n'aurait aucun sens. La qualité attribuée lors de l'étiquetage doit être *en rapport* avec l'objectif poursuivi.

Pourquoi ça marche ?

Ça marche parce ce que les gens ont tendance à vouloir être conformes à l'image positive que vous avez d'eux. En leur attribuant une qualité (et donc en les flattant aussi un peu), ils vont vouloir *en faire la preuve. Et agir* dans le sens de l'estime que vous leur portez.

Moriarty, un psychologue américain, a réalisé une expérience sur les plages new-yorkaises. Un expérimentateur s'installait à côté d'un vacancier sur la plage, sans chercher à sympathiser avec lui. Un vol simulé des affaires de l'expérimentateur avait alors lieu tandis que celui-ci était parti se baigner. Dans une majorité de cas, le vacancier n'a pas cherché à rattraper le voleur. Il était hors de question pour lui ou elle de se mettre en danger.

En revanche, lorsque, avant d'aller se baigner, l'expérimentateur s'adressait au vacancier en lui demandant « Vous seriez vraiment *sympathique* de garder mes affaires pendant que je vais me baigner », la situation changeait. Dans de nombreux cas, le vacancier, lors de la simulation de vol, tentait de rattraper le voleur, se mettant en danger. De même, il surveillait les affaires de l'expérimentateur comme s'il s'agissait de ses propres affaires. Ce lien avec l'expérimentateur se fait à plusieurs niveaux : l'étiquetage, la demande d'aide et le désir de rester cohérent avec l'engagement initial.

Usages de la technique

Vous pouvez utiliser cette technique fréquemment : on a vu qu'elle s'adapte à diverses situations de la vie (enfants, travail, toute demande d'argent ou de service, etc.). Mais n'oubliez pas de faire correspondre l'étiquetage avec l'objectif attendu !

Exemple :

• motivation, intelligence, rapidité : *pour le rendu d'un travail ;*

• générosité, humanité, sympathie : *pour le prêt d'argent, pour obtenir un service…*

Et dans la séduction ? C'est un peu plus difficile ! Car il est difficile à dire à une fille : « Toi qui aimes les garçons, veux-tu bien sortir avec moi ? » Heureusement, toutes les techniques ne marchent pas tout le temps.

Pour la séduction, préférez par exemple le *yes set* (voir technique, p. 80).

Pour en savoir plus

Attention : certaines personnes peuvent remarquer assez vite que vous les étiquetez. Et elles n'apprécient pas forcément d'être ainsi mises « dans une case ». En plus, comme l'étiquetage s'apparente à de la flatterie (attribution d'une qualité à quelqu'un), la personne peut répondre « vil flatteur » et démonter votre stratégie. Restez subtil dans votre étiquetage !

L'étiquetage est assez facile lorsqu'il s'agit de qualifier une personne que l'on apprécie en l'affublant d'un « Tu es un amour », « Tu es une personne formidable », « C'est un plaisir de travailler avec quelqu'un d'aussi professionnel que toi », etc. Bien sûr, il sera difficile à ces personnes de résister à vos compliments sincères. En revanche, imaginez que vous étiquetiez d'une qualité une personne à qui vous ne voyiez que des défauts. Ici, cela devient intéressant car vous pouvez agir comme Robert Rosenthal, le célèbre psychologue américain, qui a découvert l'effet Pygmalion. Croire en les qualités des autres peut devenir une prophétie autoréalisatrice comme le confirme la très drôle expérience suivante avec des rats :

Des étudiants se sont vu confier des rats qu'on leur avait présentés comme étant exceptionnels génétiquement. Un autre groupe d'étudiants s'étaient vu, eux, confier d'autres rats présentés comme étant faibles génétiquement.

En réalité, dans les deux groupes, les rats sont tout ce qu'il y a de plus banal. Rosenthal a tout simplement inventé cette histoire de super rats ou de rats ratés. Pourtant, lorsque l'on place les rats dans un labyrinthe, les rats du premier groupe réalisent de très bonnes performances alors que dans le deuxième groupe les rats échouent.

Quand les étudiants croyaient avoir de très bons rats, ils les nourrissaient mieux et prenaient plus soin d'eux. Le regard et l'attention portés par les étudiants selon qu'ils imaginaient avoir de « bons » ou de « mauvais » rats a eu des conséquences redoutables.

L'étiquetage n'est donc pas anodin : apprenez à tout d'abord repérer les défauts des gens de votre entourage, particulièrement ceux avec qui vous avez des difficultés, et qualifiez-les de la qualité que vous aimeriez les voir développer. Votre compagne est une acheteuse compulsive et vous ne le supportez plus : dites d'elle qu'elle est raisonnable et sage ; votre enfant ne sait pas se défendre à l'école : dites-lui que vous le trouvez fort, etc.

Repérer la technique (et éventuellement s'en protéger)

Là aussi, il suffit d'écouter... Quand quelqu'un commence à vous dire « ce que vous êtes » (« toi qui es sympa », « toi qui es intelligent », etc.), n'hésitez pas à contrer sa stratégie par la négative.

— Toi qui es si généreux...
— Non, je ne suis pas généreux.

— Toi qui es si rapide dans ton travail...
— Non, je suis assez lent en réalité.

Au besoin, interrompez la personne avant qu'elle formule sa requête !

19

« Et dans un instant, mesdames et messieurs... »

La technique du pied en l'air

Vous connaissez ces émissions de télé-achat ? On vous propose un aspirateur à un prix défiant toute concurrence. « Mais d'abord, dit le présentateur, découvrons ensemble toutes ses caractéristiques ! »

Eh oui, avant de révéler le prix de l'aspirateur, le présentateur vous fait languir ! C'est une technique de manipulation comme une autre.

C'est prouvé !

La célèbre campagne de publicité de l'agence CLM/BBDO pour le compte d'une entreprise d'affichage, au début des années 1980, est devenue un cas d'école.

Sur de grandes affiches, la France entière découvrait, stupéfaite, amusée et en émoi, une baigneuse qui promettait de se dénuder. Sur une plage bleu azur, Myriam, une jeune femme en bikini, mains sur les hanches, annonçait : « Demain, j'enlève le haut » ; quelques jours plus tard, seins nus, elle ajoutait : « Demain, j'enlève le bas » ; quelques jours plus tard, nue *mais de dos*, elle concluait : « Avenir, l'afficheur qui tient ses promesses. »

Aujourd'hui, toutes les grandes entreprises utilisent cette forme de « teasing ». Ainsi, la société Apple, en nous annonçant avec plusieurs mois d'avance la sortie future de tel ou tel produit, joue purement et simplement avec cette technique.

La technique en bref

La technique du pied en l'air fonctionne sur l'attente et sur la frustration.

Le vendeur de télé-achat fait monter le désir chez le spectateur. Le producteur de films attise la curiosité du spectateur en multipliant les teasings (bande-annonce, promotion, etc.) avant la sortie du film.

L'attente est quelque chose qu'il faut savoir susciter chez l'autre : c'est tout un art. Et parfois, maintenir l'autre dans l'attente peut se doubler d'une demande de service !

— Tu veux qu'on aille boire un verre ce soir tous les deux ? Attends, je te dis ça dans cinq minutes. En attendant, tu veux bien m'aider sur ce dossier ?

Faire languir l'interlocuteur revient à prendre l'ascendant sur lui. Profitez-en donc pour avancer vos pions, formuler vos demandes…

Pourquoi ça marche ?

L'attente crée une frustration et une dépendance. Tous les réalisateurs de films noirs connaissent ça : en ménageant le suspense, ils s'assurent que vous resterez bien devant votre écran dans l'attente du dénouement...

Nous avons tous en nous une propension à aimer jouer : frustration, patience, impatience, désir de victoire, peur de l'échec... les jeux produisent un mélange de plaisir et de déplaisir qui concourt à l'excitation. Imaginons que vous jouiez aux échecs ou au Scrabble : loin d'être inhibante, la frustration est même un moteur. Vous ne savez rien des intentions ni des atouts de votre adversaire et pourtant vous êtes dans le plaisir. La technique du pied en l'air fait appel à ce mécanisme qu'on retrouve en chez l'*Homo ludens* que nous sommes, l'« homme du jeu. »

Usages de la technique

Quand on vous demande quelque chose, différez votre réponse ! Faites languir. Ménagez le suspense. Cela vous donne de la force et du pouvoir dans l'interaction. Ne répondez pas toujours du tac au tac. Sachez attendre et faire attendre. C'est la meilleure façon d'arriver à vos fins.

Exemple.

Avec un client :

Vous êtes graphiste. Votre client vous confirme qu'il veut vous confier la refonte complète de son site Internet. Par mail, il vous annonce le budget :

— Monsieur, le budget pour ce travail est de 3 000 euros hors taxe.

Si vous trouvez que c'est trop peu payé, prenez le temps de la réflexion. Ne répondez pas du tac au tac : « J'étais plutôt parti sur 4 000 euros ! » Ne répondez pas non plus : « C'est d'accord. » parce que vous avez peur de voir la commande vous échapper.

Votre client a fait sa proposition, il attend désormais votre réponse. Vous pouvez laisser passer vingt-quatre heures (votre client va mariner un peu). Cela vous laisse aussi le temps d'élaborer une réponse argumentée :

« Cher Monsieur, je serais très heureux de refondre la charte graphique de votre site Internet. Néanmoins, pour ce travail, j'estime ma prestation plutôt aux alentours de 4 000 euros. Vous serait-il possible de faire un effort sur la rémunération ? »

Attention, la technique du pied en l'air ne marche pas à tous les coups : si une très jolie fille (ou un très joli jeune homme) vous demande si vous êtes libre ce soir, vous pouvez choisir de la (le) faire languir pour paraître plus attirant. Mais vous prenez aussi le risque qu'elle (il) ait trouvé quelqu'un d'autre pour la soirée ! À manier avec subtilité, donc.

Pour en savoir plus

À vous de sentir combien de temps la personne est capable d'attendre, jusqu'à quand vous pouvez différer votre réponse sans paraître rejeter l'offre qui vous est faite ou vouloir humilier la personne, etc.

Dans les entretiens professionnels, il n'est pas rare qu'on fasse attendre la personne qui vient en entretien. C'est une façon d'asseoir son pouvoir et probablement de mettre la personne dans une situation de nervosité... Idéal pour évaluer comment les gens gèrent les situations stressantes !

Vous pouvez aussi utiliser la technique du teasing pour annoncer vos événements personnels auprès de votre entourage – anniversaire, mariage, naissance –, voire professionnels – lancement d'un produit, d'un site web –, un peu comme une campagne de publicité ; c'est divertissant pour tout le monde et stimulant. Vous attirerez à coup sûr le monde que vous souhaitez.

Voilà comment vous y prendre :

Créez un climat d'anticipation et faites en sorte que les gens deviennent impatients. Donnez une date, même lointaine, sans donner le contenu de votre événement. Il faut rester énigmatique, voilà la clé : nous aimons tous connaître les grands événements à l'avance. C'est excitant et surprenant d'être mis dans la confidence d'une chose dont on ne sait rien. Une fois l'atmosphère installée, il faut maintenant créer votre teaser : il peut s'agir d'une vidéo ou d'une image avec une identité forte, un logo, un symbole, une image originale, un gimmick ou une animation. Et bien sûr, n'oubliez pas de profiter de ce moment d'anticipation pour placer des boutons « Like it » pour que les réseaux sociaux s'en emparent.

Repérer la technique (et éventuellement s'en protéger)

Certaines personnes (en amour, dans le travail) sont très douées pour vous faire languir, vous faire mariner. Ce faisant, elles instaurent parfois un rapport de force.

N'hésitez pas à vous affirmer.

Posez des deadlines, des ultimatums, des délais ! Si votre amie Muriel ne vous a toujours pas répondu concernant vos vacances en Auvergne :

« Muriel, j'aurais besoin de savoir *avant le 8 octobre* si nous partons en Auvergne. En effet, je dois confirmer ma réservation à cette date. »

Face à un client qui traîne des pieds pour envoyer votre chèque, revenez régulièrement à la charge (toutes les semaines, par exemple) :

« Cher monsieur Martin, j'espère que vous allez bien. Je viens aux nouvelles concernant le paiement de ma prestation n° 234 relative à la refonte de votre site Internet. Quand pensez-vous pouvoir me régler ? »

20

« Un dessert ou un petit café ? – L'addition ! »

La technique du choix illusoire

Supposons que vous vendiez des volets roulants par téléphone. Dès que vous commencez à dérouler votre argumentaire, tout le monde raccroche. Soudain, une personne vous laisse parler, elle vous pose même des questions :

— Ah oui, mais c'est quoi comme modèle, vos volets ?
— Ce sont des Sterling, les meilleurs du marché.
— Ah, mais je ne sais pas si ça s'adapte à mes fenêtres... et d'ailleurs je ne suis même pas sûre d'en avoir besoin, en fait.
— Je comprends, chère madame. Je peux venir vous voir jeudi à 14 heures ou vendredi à 10 heures ; que préférez-vous ?

Pourtant, la personne n'a pas encore dit si elle voulait des volets roulants ! Encore moins si elle acceptait que vous veniez la voir chez elle...

Vous venez de la manipuler en lui offrant un choix illusoire : que ce soit jeudi 14 heures ou vendredi 10 heures, vous serez de toute façon chez elle.

C'est prouvé !

C'est la PNL qui a le mieux étudié les applications pratiques du choix illusoire ou du dilemme illusoire. Si un ami vous dit : « Prenons un autre verre », il est plus difficile de refuser que s'il vous demande : « Tu prends un autre verre ? » Les serveurs correctement formés connaissent les façons de nous faire consommer. Lorsque vous commandez votre steak frites, ils demandent : « Quel type d'apéritif souhaitez-vous ? » plutôt que : « Voulez-vous un apéritif ? » ou, pire encore : « Pas d'apéritif ? » Pour vous faire consommer de l'eau minérale plutôt qu'une carafe d'eau gratuite, on vous demandera : « Que désirez-vous boire ? » puis on vous proposera un choix illusoire : « Nous avons de la San Pellegrino en eau gazeuse et de l'Evian en eau plate. » Les clients les plus avisés annonceront : « Non, merci, une simple carafe d'eau. »

La technique en bref

La technique consiste à donner à votre interlocuteur *l'illusion du choix*. En proposant deux possibilités, on fait appel *en apparence* à la liberté de la personne... sauf que le choix est biaisé puisque les deux propositions excluent toutes les autres.

Voici un autre exemple de choix illusoire.

Vous êtes avec un(e) ami(e) avec qui vous avez envie de prolonger l'après-midi :

— Dis-moi, j'aimerais bien aller avec toi *soit au cinéma, soit au restaurant*, qu'est-ce que tu préférerais ? (L'ami[e] a peut-être simplement envie de rentrer chez lui/elle.)

Pourquoi ça marche ?

Telles des œillères pour un cheval, le choix illusoire réduit la perception d'une personne sur une action possible : avec le choix illusoire, la personne est forcée de suivre un chemin tout tracé. Or, comme il nous semble que nous avons la liberté de choisir, notre méfiance n'est pas en éveil. Rappelez-vous : il faut toujours faire appel à la liberté de l'interlocuteur pour mieux l'influencer !

Usages de la technique

Cette technique, on l'a vu, est un grand classique du commerce et de la vente en tout genre. Mais elle peut aussi s'appliquer à des enfants ou des adolescents, à des fins pédagogiques.

Pour construire votre choix illusoire, focalisez-vous sur ce que vous souhaitez que l'autre accomplisse.

— Les enfants, mercredi, vous voulez aller chez mamie ou rester à la maison ? (Vous n'avez pas du tout envie de les emmener faire du cheval ou à la piscine.)

Certes, il y a des chances que les enfants s'écrient : « On veut faire du cheval ! » Mais il est aussi fort probable qu'ils réfléchissent et disent d'une voix morne : « On veut rester à la maison. » Pour un parent, mieux vaut donner à ses enfants l'impression qu'il choisit plutôt que d'imposer et de dire : « Ce mercredi, pas de cheval ni de piscine, maman est fatiguée ! »

Avec les adultes, usez du choix illusoire avec parcimonie. Certaines personnes repèrent aisément cette technique...

À une personne que vous voulez séduire :
— Tu veux qu'on se voie mercredi ou samedi ?
— Mais... je ne t'ai jamais dit que je voulais qu'on se voie !

Soyez subtil, donc...

Pour en savoir plus

Pour être subtil en choix illusoire, il faut trouver un choix suffisamment puissant qui fasse que la personne ne réplique pas en disant : « Non merci, aucune de vos deux propositions ne me convient. »

Cherchez à affiner votre demande en vous adaptant au mieux à la personnalité de votre interlocuteur. Par exemple, si vous vous adressez à un adolescent pendant les vacances, ne lui dites pas : « Tu veux aller au bal du village ou dîner chez nos amis Bricout ? »

Il risque de répondre : « Ni l'un ni l'autre ! »

Dites plutôt : « Tu veux aller au bal du village – c'est le dernier de la saison (technique de la restriction, voir p. 198) – ou rester à la maison ? »

Ou : « Tu veux nous accompagner chez les Bricout – il y aura leur fille Mélanie (technique de l'amorçage, voir p. 86) – ou rester à la maison ? »

Voici d'autres exemples adaptés à différentes situations :

Dans un entretien d'embauche :

— Je comprends que d'autres personnes aient postulé pour ce poste. La plupart d'entre elles sont fraîchement sorties de l'université, mais moi, j'ai deux ans d'expérience. Préféreriez-vous me choisir ou embaucher des personnes sans expérience réelle ?

Dans la vente :

— Cet ordinateur X est absolument génial. Il possède de nombreuses fonctionnalités. Le prix est un peu élevé à 1 500 euros, mais il vaut vraiment le coup si vous jouez à des jeux en ligne. Quant à l'ordinateur Y, il pourrait être plus adapté à vos besoins car vous surfez régulièrement sur Internet. Il a un bon rapport qualité-prix à 800 euros. C'est une bonne affaire. Enfin, Z est un ordinateur portable aussi. Personnellement, je possède celui-ci et j'en suis très heureux. Il est assez similaire à l'ordinateur Y et coûte 900 euros. Alors, quel ordinateur préférez-vous : X, Y ou Z ?

Dans la vie amoureuse :

Pour obtenir un numéro de téléphone et un rendez-vous, dites :

— Veux-tu que je t'envoie un SMS ou qu'on s'appelle pour un prochain rendez-vous ?

En négociation :

Avant de finaliser votre achat, dites :

— Je suis un bon client, est-ce que je n'ai pas le droit à une réduction ou à un petit cadeau ?

Repérer la technique (et éventuellement s'en protéger)

On ne se rend pas toujours compte d'un choix illusoire. Parfois, nos amis nous proposent de choisir :

— Julien, ce soir on va en boîte électro ou dans ce club où ils passent de la variété française ?
— Euh, attendez... et si on restait tranquilles, ce soir ?

Pour vous protéger, vous devez sentir que ce choix vous contraint, qu'il éveille chez vous un malaise : on vous propose de choisir... et pourtant ce n'est pas agréable. Vous êtes certainement en présence d'un choix illusoire ! À vous de désamorcer ce prétendu choix, soit en refusant l'une et l'autre options (« Je n'ai pas envie d'aller en boîte »), soit en proposant autre chose (« Et si on restait tranquilles et qu'on invitait des filles à l'appartement ? »).

21

« Pauvre de moi »

La technique de la victimisation

On connaît tous quelqu'un qui se plaint tout le temps !

— Je n'y arrive pas, c'est trop injuste, tout le monde m'en veut, regarde ce qu'on m'a fait, etc.

Savez-vous que ce genre d'attitude peut être considéré comme une technique de manipulation ?

C'est prouvé !

Le psychologue clinicien de l'université Texas Tech, George K. Simon, spécialiste de la manipulation, explique très bien comment les manipulateurs jouent souvent le rôle de la victime (« pauvre de moi ») en se présentant comme victimes des circonstances ou du comportement d'un autre. Ces personnes se plaignent pour gagner la compassion ou la sympathie... et ainsi obtenir quelque chose. Des gens bienveillants et consciencieux ne peuvent pas supporter de voir quelqu'un en souffrance : ce sont des cibles faciles pour le manipulateur qui joue sur la corde sensible afin d'obtenir de l'aide.

La technique en bref

En vous plaignant constamment, vous apitoyez vos interlocuteurs. Du coup, ils ont davantage tendance à être indulgents avec vous. Ils peuvent aussi être plus enclins à vous aider. En jouant les Calimero[1], vous manipulez les autres pour qu'ils viennent à votre secours, qu'ils s'occupent de vous.

Se plaindre n'est pas une technique en soi et il n'y a pas de mal à se faire cajoler de temps à autre. Mais quand la plainte est utilisée sciemment pour influer les autres, elle devient une arme redoutable !

Pourquoi ça marche ?

Au fond, l'être humain *adore rendre service* : porter secours à l'autre nous grandit à nos propres yeux ! C'est pourquoi la technique de la victimisation est si efficace.

On a tous en nous le fantasme du « sauveur ». Chez certaines femmes, il y a même une propension à aimer des hommes alcooliques, dépendants au jeu, etc.

Enfin, contrairement à ce que l'on pourrait croire, tout n'est pas que lutte et compétition entre les êtres humains : pour Darwin, l'altruisme est même essentiel à la survie de l'espèce ! Faire appel à ce ressort de solida-

1. Ce petit poussin de dessin animé, avec une coquille d'œuf sur la tête et qui disait tout le temps : « c'est vraiment trop inzuste. »

rité et d'assistance qui est présent en chacun de nous, c'est parfois une véritable tactique consciente.

Usages de la technique

Je ne peux pas vous conseiller cette technique... d'abord parce que vous la maîtrisez certainement déjà ! En famille, dans le couple, au travail, avec des amis, la victimisation est souvent de mise.

Pour en savoir plus

Il suffit parfois de toucher la corde sensible de votre interlocuteur pour que celui-ci vous vienne en aide.

Si vous avez vraiment envie de vous victimiser, n'hésitez pas à utiliser la technique en combinaison avec d'autres (l'étiquetage, par exemple) :

— Vous savez, monsieur Jean, quand on est une femme seule et célibataire comme moi, ce n'est pas toujours facile. Je sais que vous êtes très bricoleur : vous ne voudriez pas m'aider à réparer ma chasse d'eau, un de ces jours ?

Repérer la technique (et éventuellement s'en protéger)

Cette technique peut être difficile à repérer, surtout quand on rencontre quelqu'un pour la première fois. Après tout, cette personne qui se plaint est peut-être vraiment dans la difficulté ? Sachez donc lire entre les lignes pour savoir si la victimisation n'est pas un petit peu artificielle, un petit peu exagérée, dans le but de vous pousser à tendre la main.

Si vous êtes en mesure d'aider votre interlocuteur, faites-le. Mais si vous pensez que celui-ci dépasse les bornes, faites-lui comprendre rapidement que vous ne pouvez pas l'aider. Vous verrez, sa plainte risque de cesser très vite.

22

« Tu es un incapable ! »

La technique de la persécution

Attention, technique à haut risque… et très violente pour l'interlocuteur.

Dans le film *Le Diable s'habille en Prada*, la célèbre rédactrice en chef d'un journal de mode humilie systématiquement ses collaboratrices. Cela donne des échanges du type :

— Vous n'avez donc aucun style, aucune notion de la mode ?
— Oh ça… Je crois que ça dépend des goûts…
— Ce n'était pas une question.

Avez-vous déjà expérimenté ce genre de situation, soit comme témoin, soit parce que vous en avez été victime ? La technique que j'appellerais de persécution est la favorite des pervers narcissiques, ces grands malades qui font tout pour écraser l'autre afin de l'asservir… et *in fine* le détruire.

C'est prouvé !

Une horrible expérience de psychologie s'est déroulée aux États-Unis en 1939. On l'appelle *The Monster Study*. Le chercheur Wendell Johnson, de l'université de l'Iowa, a mené une expérience sur 22 enfants orphelins et bègues de Davenport (Iowa) – l'université de l'Iowa s'est excusée publiquement pour *The Monster Study* en 2001. Johnson a choisi l'une de ses étudiantes diplômées, Mary Tudor, pour mener l'expérience. Il a supervisé la recherche. Après avoir placé les enfants dans des groupes différents, Mary Tudor a proposé des séances « positives » d'orthophonie à la moitié des enfants, en les félicitant pour leur élocution. À l'autre moitié des enfants, Mary Tudor a fait passer des séances « négatives » d'orthophonie : elle rabaissait les enfants à chaque imperfection en leur disant qu'ils étaient bègues ; beaucoup de ces enfants ont souffert de séquelles psychologiques et ont eu des problèmes d'élocution toute leur vie !

La technique en bref

En maniant l'insulte, la dévalorisation constante, le manipulateur impose son autorité par les moyens les plus brutaux. Il humilie son interlocuteur afin de faire baisser son niveau d'estime de soi. Grâce à cette méthode contestable, il augmente son emprise sur sa victime. Cruel, mais efficace !

« Qu'est ce que tu peux être bête ! », « Tu es vraiment un bon à rien ! », etc.

Pourquoi ça marche ?

Quand la victime est attaquée, rabaissée, son niveau d'estime d'elle-même diminue. Elle n'a plus du tout confiance en elle. Dès lors, elle est plus à même d'accepter les demandes du manipulateur.

La personne qui est systématiquement persécutée va chercher à aller dans le sens de son bourreau dans l'espoir de retrouver de l'estime à ses yeux et d'éviter de nouvelles persécutions.

Usages de la technique

Hélas, la persécution est largement répandue dans le domaine du travail. En France, chaque année, des centaines de plaintes sont déposées pour harcèlement moral.

Dans le couple aussi, la persécution est parfois de mise : elle rime avec violence conjugale.

N'essayez jamais de rabaisser l'autre, il existe des techniques d'influence beaucoup plus subtiles.

Pour en savoir plus

Les harceleurs commencent parfois par de petites remarques. Puis cela va crescendo ! Une fois que l'emprise est assurée sur la victime, il est très difficile pour cette dernière de se défaire du manipulateur. Raison de plus pour connaître les trucs et astuces pour se protéger... sans attendre !

Repérer la technique (et éventuellement s'en protéger)

Pour se protéger des persécutions, il faut dès le début mettre le holà ! Il est important de le faire dès le départ car la personne cherche à vous tester – si vous attendez, il sera très délicat de rompre le cycle de la persécution.

Si quelqu'un se met à vous persécuter, répliquez aussitôt d'un ton sec mais courtois et exigez le respect immédiatement.

23

« Allez, alleeeez, alleeeeeeez, dis-moi oui !!! »

La technique de l'insistance

Vous savez comment sont les enfants (vous avez vous-même été un enfant). L'une de leurs techniques de manipulation préférée, c'est bien sûr l'insistance :

— S'il te plaît, allez, dis oui, s'il te plaît, dis oui, maman...

Souvent, à force d'insister, les enfants parviennent à leurs fins ! Étudions donc cette technique de plus près.

C'est prouvé !

Des enseignants en neuropsychiatrie de UCLA (université de Californie à Los Angeles) ont réalisé des entretiens auprès de 100 personnes réussissant, plus que la moyenne, à obtenir ce qu'elles veulent. Ces personnes sont dites « assertives » ; elles utilisent l'insistance avec subtilité, sans jamais rien imposer aux autres. Plusieurs étapes essentielles, pour ceux qui veulent influencer les gens, ont été cartographiées :

• repérer et constituer un réseau de personnes qui veulent vous aider et vous soutenir ;

• être ouvert et transparent sur ce que vous faites, sur ce que vous aimez et défendez plutôt que de dissimuler tactiques et techniques ;

• dissiper le doute des personnes sceptiques, voire cyniques, afin qu'elles puissent vous faire confiance ;

• effectuer une présentation intelligente et argumentée.

La technique en bref

L'insistance revient à faire pression *de manière répétée* sur un interlocuteur pour que celui-ci finisse par satisfaire à votre demande.

On l'a vu, les enfants maîtrisent parfaitement cette technique : « Allez, maman, dis oui, s'il te plaît, accepte ! » Mais les adultes, dans leur vie sociale et professionnelle, en font tout autant. Pensons au cas des attachées de presse. Elles n'hésitent pas à appeler très régulièrement les journalistes pour obtenir une retombée médiatique (presse, télé, radio ou autre).

— Bonjour, cher François Busnel. C'est encore Chloé de Varenne, attachée de presse chez J'ai lu. Je voulais savoir si vous avez bien reçu *Manipuler, pourquoi et comment*, de Bastien Bricout. Je vous ai laissé un petit message hier sur votre répondeur, je vais également vous envoyer un mail aujourd'hui. C'est un livre passionnant…

Le lendemain :
— Bonjour, cher François Busnel, c'est encore Chloé. J'espère que vous allez bien. Dites-moi, je voulais

échanger avec vous au sujet du livre de Bastien Bricout… Je vous envoie également un petit mail.

Le surlendemain :

— Bonjour, François, c'est Chloé, je voulais savoir si vous aviez finalement pu lire le livre de Bastien…

Et ainsi de suite…

Quant aux enseignants de toute nature, ils ont eux aussi l'habitude d'insister pour que leurs élèves finissent par maîtriser un savoir, quel qu'il soit.

Pourquoi ça marche ?

À force d'insistance, la personne préfère accepter la demande plutôt que de continuer à entendre le demandeur insister sans relâche !

L'insistance est une pression répétée. Souvent, au bout d'un certain temps, nous cédons : l'insistance a eu raison de nos résistances.

Essayez de vous concentrer avec un téléphone qui sonne sans arrêt à côté de vous. Difficile, n'est-ce pas ? En général, vous préférez vous lever et décrocher (ou débrancher le combiné) pour être tranquille. Certaines personnes savent parfaitement jouer le rôle du téléphone… afin de vous contraindre à répondre à leurs demandes !

Usages de la technique

L'insistance est partout chez elle : au travail, en famille, dans le couple. Nous avons vu à quel point les enfants peuvent être insistants. Mais un amoureux peut aussi se montrer insistant quand il veut conquérir le cœur de sa belle. Tous les jours, il enverra un petit texto, il écrira de longs mails, il postera des petits mots doux sur Facebook. Avec parfois des relances, du genre :

« Tu es là ? Pourquoi tu ne réponds pas ? »

« Tu vas bien ? Tu es fâchée ? Je voulais juste qu'on se fasse un ciné, tous les deux... »

« Hello, bonne semaine Émilie. On se voit bientôt ? »

« Comment ça va ? J'ai pensé à toi en passant dans ton quartier. Tu m'appelles ? »

En général, l'interlocuteur ne répond pas (ou peu) aux messages de l'insistant. Mais la détermination de celui qui insiste finit souvent par triompher.

Les marques, une fois qu'elles ont obtenu votre e-mail, ne vous lâchent pas non plus. Ainsi, tous les trois jours, vous recevez un message du type :

« Bonjour, monsieur Bricout (ou "Bonjour, Bastien", voir technique du prénom p. 59), pour vous cette semaine – 30 % sur tout l'électroménager. »

« Bonjour, monsieur Bricout, plus que trois jours pour profiter de l'offre à – 30 %. »

« Bonjour, monsieur Bricout, spécialement pour vous (voir technique de la distinction p. 59), l'offre à – 30 % a été prolongée de deux jours. Vite, plus que quarante-huit heures pour en profiter en magasin ! »

Enfin, au travail, vous avez peut-être fait l'expérience de l'insistance de vos supérieurs hiérarchiques.

« Bonjour, Amina, ça avance le dossier Durand ? »

« Amina, tu t'en sors ? Tu penses me le rendre quand, le dossier Durand ? »

« Hello, Amina, bonne journée, j'attends ton retour sur Durand. »

« Bonne soirée, Amina, tu as bien avancé aujourd'hui sur Durand ? »

Etc.

Pour en savoir plus

Inutile d'élaborer un protocole sophistiqué pour cette technique de manipulation qui consiste tout simplement à *répéter la demande* jusqu'à ce que l'interlocuteur cède. Tout est affaire de patience, d'énergie, de détermination : inutile de crier, de s'énerver, il faut tout simplement « ne pas lâcher » et insister, insister, insister.

Repérer la technique (et éventuellement s'en protéger)

Si quelqu'un insiste, refusez avec détermination, sans aucune hésitation. Si vous êtes mou dans votre refus, l'insistance reprendra de plus belle.

Pour se prémunir de l'insistance, une autre solution est de ne pas donner prise (ignorer les enfants qui crient, ne pas décrocher le téléphone de ce vendeur qui vous harcèle, etc.) Avec un supérieur hiérarchique, c'est plus difficile : il suffit de faire le gros dos et de travailler pour que le dossier soit rendu à temps. Alors, le supérieur cessera de vous embêter.

Enfin, vous pouvez tenter la chose suivante : pour court-circuiter « un insistant », n'hésitez pas à reformuler sa demande (voir technique de la reformulation, p. 41) :

« David, *j'ai bien compris que tu voulais qu'on se voie.* Hélas, je ne serai pas disponible de tout l'été. *Tu me demandes de répondre à tes messages.* Il m'est impossible de le faire pour le moment. Recontactons-nous à la rentrée. Salut. »

24

Pour vos beaux yeux

La technique de la distinction (ou de la faveur personnelle)

Je suis sûr que vous connaissez bien cette technique habituelle des vendeurs.

« *Pour vous seulement,* monsieur Bricout, cette fantastique encyclopédie en 12 volumes ne coûte que 4 800 euros ! »

Nous sommes rarement dupes d'une telle ficelle. Pourtant, dans la vie de tous les jours, la technique de la faveur personnelle a de beaux jours devant elle.

C'est prouvé !

Le gouvernement britannique a mis en place un « Service en Or » réservé exclusivement aux locataires de certains logements sociaux. Ce service donne droit à des réparations d'urgence, des réductions sur l'assurance habitation et des cartes de réduction dans les commerces et restaurants du quartier.

Grâce à ce service, qui donne le sentiment aux locataires d'être des privilégiés, le taux d'impayés de loyers a chuté de près de 50 %.

En accordant un traitement de faveur à quelqu'un, nous provoquons chez lui le désir de nous faire plaisir en retour ou de nous remercier d'une façon ou d'une autre. Finalement, que ce traitement de faveur provienne d'une personne, d'une institution (l'État, une association, etc.) ou d'une entreprise privée, ça fonctionne.

La réciprocité est une tendance humaine : si l'on vous fait une faveur, l'autre vous retournera probablement cette faveur. Si vous invitez une personne à votre anniversaire, il est fort probable qu'elle vous invitera au sien. Le professeur Robert Cialdini a prouvé ce principe de réciprocité en envoyant des cartes de Noël à de parfaits étrangers. L'année suivante, il en a reçu presque autant qu'il en avait envoyé !

La technique en bref

Mettez en valeur l'autre en lui donnant l'impression d'être unique. C'est parce qu'il est unique à vos yeux que vous faites quelque chose d'exceptionnel pour lui.

— Je t'aide sur le dossier Durand mais *c'est bien parce que c'est toi*. En revanche, pourrais-tu m'aider sur le dossier Dupont ?

Distinguer l'autre a deux avantages : d'abord, *ça le flatte* ; ensuite, *ça donne du prix* à ce que vous faites pour lui (ce que vous faites pour lui, vous ne l'auriez pas fait pour un autre) : du coup, vous avez plus de latitude pour demander en échange quelque chose d'important (immédiatement ou plus tard).

Pourquoi ça marche ?

Nous aimons être distingués, choisis, nous aimons paraître importants aux yeux des autres. Et nous aimons être l'objet de privilèges, les vendeurs le savent bien : quand ils nous font une faveur, ils tissent un lien entre eux et nous, préparant ainsi le terrain pour la vente.

Lorsque votre manager, avec qui vous n'êtes pas ami, vous envoie un petit SMS gentil ou vous propose de prendre un verre (il s'agit tout de même de votre supérieur hiérarchique) et qu'il ne le fait avec aucun autre collègue, il est difficile de ne pas se sentir touché et même flatté. Pourtant, ces petites attentions, efficaces comme une aspirine lorsqu'on a un mal de tête, finissent par vous rendre absolument malléable : vous ne saurez plus rien refuser à un manager si avenant et sympathique.

Usages de la technique

Dans le domaine de la vente, la technique de la faveur personnelle est triplement efficace : elle flatte, elle crée un lien avec l'acheteur et donne un côté sur-mesure à la proposition (« Cette offre est rien que pour vous », donc certainement intéressante et pensée en fonction de mes besoins).

Mais dans la vie de tous les jours, la technique de la faveur personnelle (ou de la distinction) est aussi très utile.

« Je fais ça rien que pour toi. »
« C'est bien parce que c'est toi. »
Etc.

Rien de plus chaleureux qu'une telle formule. La personne se sent véritablement l'objet de l'attention – et des égards – de l'interlocuteur. Elle est séduite, elle se sent importante aux yeux de l'autre. C'est la technique de base de la séduction – qui est aussi une forme de manipulation.

Enfin, nous employons très souvent cette technique de manière naturelle, sans le savoir, avec les gens que nous aimons :

« Merci pour ton invitation à dîner : une invitation de ta part ne se refuse pas, mon Christophe[1] ! Je serai donc là samedi soir. »

Pour en savoir plus

Il est courant d'observer cette technique de manipulation dans le milieu professionnel lorsqu'un manager dit : « Par rapport au groupe, il faut que tu saches que tu es celui sur qui j'ai le plus d'espoir pour atteindre nos objectifs. » C'est aussi une forme d'étiquetage et de mise sous pression du subordonné (du style : « Ne me déçois pas. »)

Mais c'est bien dans le domaine de la séduction que la technique de la distinction est la plus visible. Par exemple : « D'habitude je ne suis pas attiré par les

1. À noter que l'emploi du possessif « mon » est ici une marque d'affection et d'élection.

rousses mais toi, c'est différent, tu as quelque chose de spécial. »

Si vous comptez avoir recours à cette technique, utilisez-la avec parcimonie afin que son impact soit positif et maximisé. Employée fréquemment, elle perd tout son sens et n'est plus que de la vaine flatterie.

Par ailleurs, assurez-vous que votre faveur ait vraiment de la valeur : faites gagner du temps à une personne, accompagnez-la jusqu'à la sortie après sa visite, accordez-lui un vrai rabais, prenez sur votre temps de travail pour rendre service, etc.

Considérez cette personne comme si elle était un VIP (Very Important Person).

Repérer la technique (et éventuellement s'en protéger)

Pour repérer cette technique de manipulation, il suffit d'écouter. Votre interlocuteur prétend que ce qu'il fait, il le fait « spécialement pour vous » ? Amusez-vous de cette technique : laissez l'interlocuteur exprimer son offre et jugez en conscience si elle est vraiment intéressante.

25

Grrr, Grrr, GRRR !

La technique de la colère

> « *La colère est nécessaire ; on ne triomphe de rien sans elle, si elle ne remplit l'âme, si elle n'échauffe le cœur ; elle doit donc nous servir, non comme chef, mais comme soldat.* »
>
> ARISTOTE

Avez-vous remarqué que dans les films américains, il y a toujours un moment où le héros se met en colère ?

Dans le film *Zero Dark Thirty* consacré à la traque de Ben Laden, l'actrice Jessica Chastain pousse une colère mémorable, assortie, comme il se doit, de menaces et d'une demande explicite ! Elle obtiendra très vite ce qu'elle veut.

C'est prouvé !

Moons Wesley et Diane Mackie, psychologues à l'université de Californie à Santa Barbara, ont conçu trois expériences pour déterminer comment la colère influe sur la pensée et les comportements. Leurs conclusions, détaillées dans le *Bulletin de psychologie sociale*, suggèrent que la colère aide les gens à se concentrer sur les arguments essentiels à la prise de décision rationnelle. Par exemple, des étudiants en colère analysent mieux le contenu d'un texte que les étudiants calmes qui n'en font qu'une lecture superficielle. De même, les étudiants en colère ont tendance à être plus aptes à résoudre certains problèmes... si tant est que le problème à résoudre n'ait rien à voir avec celui qui a provoqué cette colère !

La technique en bref

La colère est une technique d'intimidation. Quand elle éclate, elle a de fortes chances d'impressionner l'interlocuteur. Surpris et effrayé, celui-ci se pliera à la volonté de l'autre plutôt que d'avoir à subir les conséquences de la colère. La colère est donc très efficace !

Généralement, les personnes qui utilisent la colère comme technique de manipulation le font sur des personnes impressionnables, qui manquent de confiance en elles et battront aisément en retraite en cas de colère.

Pourquoi ça marche ?

La technique de la colère s'appuie sur les émotions de l'interlocuteur : surprise, peur... Sous le coup de la colère de l'autre, l'interlocuteur ressent une forte angoisse et fera tout pour calmer le colérique. Même se soumettre et faire ce qu'il lui demande.

On se souvient tous des colères de nos parents à cause de nos bêtises ! Face à elles, on se calmait instantanément. Parvenus à l'âge adulte, notre cerveau en garde la trace : nous sommes habitués à céder devant la colère (ou à nous opposer, c'est selon).

Rappelez-vous aussi quand vous étiez enfant et que vous observiez un escargot sur le sol mouillé. Quand vous essayiez de le toucher, il se rétractait sous sa coquille, n'est ce pas ? Eh bien, quand quelqu'un se fâche contre nous, nous réagissons en trouvant refuge à l'intérieur de nous-mêmes.

Beaucoup de femmes et d'hommes ont un tel comportement. Nous devenons confus et submergés par l'émotion, vulnérables. Si quelqu'un est en colère contre nous, nous pensons avoir fait quelque chose de mal et croyons inconsciemment que la colère est justifiée. Cette émotion en dit long sur notre peur ancienne d'être méprisés et rejetés. Nous réagissons ainsi par le biais d'un ensemble de cellules nerveuses de notre cerveau limbique et en particulier d'une petite structure à l'intérieur : l'amygdale. La stimulation électrique de l'amygdale suscite en laboratoire des réactions défensives et des sentiments de peur et d'anxiété chez les humains. Sous l'effet d'une telle stimulation, le rythme cardiaque et la pression artérielle augmentent.

Usages de la technique

Je ne peux pas vous conseiller d'employer la colère comme technique en soi. Si vous vous mettez en colère, c'est que vous ne pouvez plus faire autrement !

En revanche, quand la situation s'y prête, il peut être utile d'élever la voix d'un ton, particulièrement quand l'autre a franchi une limite que vous jugez inacceptable.

Au travail, certains patrons pratiquent le « management par la colère » : le dossier Durand vole à travers la pièce, les portes claquent, la voix retentit dans tout l'open space... Il semble que ce ne soit plus, de nos jours, la technique de management la plus appropriée.

Pour en savoir plus

Personnellement, je m'oppose à la colère comme technique de manipulation. Nous avons tous subi la colère de nos parents quand nous étions petits. Plus tard, peut-être, nos professeurs ou nos patrons nous ont crié dessus. Dans le couple, la colère est aussi très présente.

Apprenons des techniques de manipulation « douces » présentes tout au long de cet ouvrage. Et sachons désamorcer la colère de l'autre quand elle survient... voir ci-dessous !

Pour déterminer si se mettre en colère peut être bon pour vous, posez-vous les questions suivantes : pourquoi vous êtes vous mis(e) en colère et quel a été alors votre comportement ? Imaginons que vous êtes en colère parce que vous venez de passer une heure à nettoyer tous les plats sales dans la cuisine pendant que votre conjoint était assis devant la télévision. Vous êtes énervé(e) parce que vous vouliez regarder la télévision, vous aussi, et que faire la vaisselle vous en a empêché. De plus, vous attendez un peu plus d'aide pour les tâches ménagères...

Plus vous y pensez, plus vous réalisez que vous avez raison d'être en colère. Vous devenez de plus en plus agacé(e), votre sang circule plus vite, les doigts de vos mains savonneuses se serrent et vous remarquez que votre mâchoire est crispée. Que faites-vous à ce moment-là ? Il y a trois options de base en matière de gestion de la colère : exprimer votre colère, la laisser sortir, ou la contrôler.

La première option pourrait prendre la forme d'une agression : vous vous jetteriez sur votre conjoint vautré sur le canapé, sans forcément répondre à ses questions. Exprimer la colère de cette manière ne sert pas à grand-chose. Si vous faisiez appel à la deuxième option, vous pourriez entrer dans le salon et jeter les assiettes contre le mur. Dans ce scénario, la colère n'est pas bonne pour vous et ce n'est certainement pas bon pour vos assiettes non plus. Mais si vous entrez dans le salon décidé(e) à entamer une conversation calme et contrôlée sur ce qui vous tracasse, si vous êtes prêt(e) à exprimer sereinement ce que vous aimeriez que l'autre personne fasse, alors la colère peut être extrêmement bénéfique pour vous. Dans les études scientifiques évaluant la colère, les participants ont décrit *la colère bien contrôlée* comme une force positive, permettant d'identifier les défauts et les qualités des relations. Se mettre en colère peut ainsi conduire à apporter des changements positifs dans les relations.

Lorsque vous gérez et libérez la colère dans ce troisième scénario, dans une conversation calme, beaucoup de ces études effrayantes sur les crises cardiaques et la mort précoce des personnes colériques deviennent hors de propos ! Une étude a révélé que les femmes qui refoulent leur colère étaient trois fois plus susceptibles de mourir que celles qui s'en libèrent. Mais libérer la colère dans la troisième voie est à la fois bon pour vous et pour cette relation. Le fait même de se mettre en colère vous informe que quelque chose ne va pas dans votre relation et que vous feriez mieux de remédier à la situation si vous voulez maintenir la relation. Une autre étude a révélé que les couples qui expriment leur colère de manière productive ont une relation plus longue que les couples qui répriment leur colère.

Face à des services clientèle ou administratifs incompétents, la colère peut s'avérer une bonne solution. On a coutume de dire que ce sont les gens qui se manifestent (les grandes gueules) qui obtiennent des réparations. On aide plus facilement les personnes qui se battent pour leur bon droit que celles qui ne paraissent pas menaçantes et restent dans leur coin. Pour votre interlocuteur, la colère est une façon de faire le tri parmi les milliers de demandes qu'il reçoit tous les mois. C'est la dure loi de la jungle sociale.

Imaginez ce dialogue avec votre fournisseur Internet : vous voulez résilier votre contrat parce que votre connexion est défaillante depuis plusieurs mois.

Le conseiller :
— Résilier coûte 60 euros et requiert trois mois de préavis, madame (monsieur).

Vous :
— Ah, c'est embêtant parce qu'Internet ne marche plus très bien et vous me dites qu'en plus il faut payer, je trouve ça vraiment dommage. Etc.

Le conseiller :
— Je suis désolé, madame (monsieur). C'est ainsi.

En revanche, si vous vous mettez en colère, votre expression peut-être : « Comment ? 60 euros ? Et trois mois de préavis en plus ? Mais vous vous foutez du monde ! C'est scandaleux ! », etc.

Mettez-vous en colère et argumentez (technique de la justification, p. 252), voire menacez de représailles juridiques ou autres (technique de la menace, p. 174).

Repérer la technique (et éventuellement s'en protéger)

Il est assez simple de repérer ces individus qui utilisent la colère pour parvenir à leurs fins. En général, ce sont des personnes qui se mettent en colère dès qu'elles rencontrent une contradiction. Elles se mettent en colère pour dominer l'autre, pour faire triompher leur point de vue ou pour faire avancer leurs affaires. Ne restons pas sans réagir ! N'ayons pas peur de ces colères parfois impressionnantes.

Pour se protéger de cette manipulation, rien de plus simple que d'attendre que la personne se calme ou de lui demander de parler sur un autre ton avec douceur...

Mieux vaut en effet ne pas répondre sur le même ton, ce serait contre-productif.

26

« On a plein de points communs, c'est fou ! »

La technique des points communs

J'ai un ami très séducteur. Pour séduire les filles, il a un truc imparable : il leur fait croire qu'il aime les mêmes choses qu'elles, qu'il pense comme elles... et elles tombent toutes dans ses bras !

La technique des points communs est redoutable.

C'est prouvé !

Si nous sommes sensibles au physique et aux figures d'autorité, en l'absence de ces critères, il existe d'autres armes de persuasion : la ressemblance (religieuse, vestimentaire, liée aux loisirs, etc.). Dans les années 1970, le chercheur américain Tim Emswiller a démontré que, lorsqu'on est habillé comme la personne à qui l'on demande un peu d'argent pour téléphoner d'une cabine publique, on obtient satisfaction dans près de 70 % des cas. Deux expérimentateurs, l'un habillé en hippie, l'autre plus classiquement, ont demandé à des hommes et des femmes au style hippie ou classique un peu d'argent pour un appel téléphonique. Un nombre significativement plus élevé de personnes étaient disposées à prêter de l'argent à celui dont le look leur était proche. Les hommes, plus que les femmes, sont influencés par ce type de similitude. L'hypothèse est ici que le style vestimentaire peut influencer le désir d'autrui d'aider une autre personne.

Avez-vous d'ailleurs remarqué le courant de sympathie qui s'instaure immédiatement lorsque vous découvrez qu'une personne est issue de la même région que vous, ou que vous partagez une même passion (l'équitation, les voyages, une équipe de sport préférée, etc.) ? Les gens s'assemblent aussi selon le groupe d'âge, leurs habitudes (les fumeurs, les buveurs à l'heure de l'apéro) et également leurs origines ethniques ou sociales. Un chercheur américain l'a démontré en 1963 : les clients souscrivent d'autant plus facilement un contrat d'assurance qu'ils se découvrent un lien avec le vendeur comme l'âge, la religion ou le fait de fumer.

La technique en bref

Cette technique consiste à mettre en avant un maximum de similitudes avec son interlocuteur.

Imaginons cette fois une jeune fille qui veut séduire un charmant jeune homme.

— Salut, moi, c'est Alexia.
— Frédéric.
— Ah, c'est fou, c'est le même prénom que mon frère. Et tu fais quoi ?
— Ben, je suis chef de projet chez Renault.

— C'est super ! Un ami de mon père y travaille ! Et tu habites dans le quartier ?
— Oui, juste à côté.
— Moi aussi !
— On a plein de points communs, dis-moi...
— J'ai l'impression... *(Sourire mystérieux.)*

Ça marche même si les similitudes ne sont pas absolues. Il suffit pour cela de « tordre » un peu la réalité. D'ailleurs, certains n'hésitent pas à mentir et à s'inventer des similitudes imaginaires. Évidemment, ne franchissez pas cette limite. On a toujours des affinités, même cachées, avec les gens. Amusez-vous à les découvrir... et à les mettre en avant !

Pourquoi ça marche ?

Plus il y a de similitudes entre le manipulateur et son interlocuteur, et plus l'interlocuteur s'identifie au manipulateur. Dès lors, certaines barrières tombent. Les demandes du manipulateur auront plus de chances d'aboutir car nous avons plus tendance à accepter les demandes de personnes qui nous ressemblent, qui émanent de notre milieu social, qui font les mêmes choses que nous...

Si l'autre est, en effet, notre double en raison de nombreuses similitudes, il devient un familier. Cela crée une sympathie naturelle. On se sent en terrain connu, en sécurité et en confiance. L'atmosphère est plus chaleureuse et détendue. Par ailleurs, partager des affinités avec une personne, c'est une promesse de plaisirs à venir (sport, culture, etc.).

Usages de la technique

Cette technique est souvent utilisée par les vendeurs qui veulent faire « ami-ami » avec leurs clients afin de mieux peser sur leur décision d'achat.

– Vous voudriez quelle télé ? Celle-là ? Ah, vous regardez cette série ? Moi aussi, j'adore.
Etc.

Ce genre de manipulation est à utiliser avec précaution, surtout si vous infléchissez la réalité au point d'inventer de toutes pièces des similitudes. Bien entendu, il ne s'agit pas d'apparaître comme un menteur ou un vulgaire manipulateur auprès de la cible que vous voulez séduire.

Pour en savoir plus

La théorie des similitudes postule que plus une personne vous est familière, plus vous la trouverez sympathique et plus vous l'aimerez. Les similitudes peuvent être des opinions, des traits de caractère, un style de vie ou une histoire personnelle.

Les études ont prouvé que dans un contexte social, comme une soirée par exemple, les gens gravitent automatiquement autour des personnes qui leur ressemblent. Dans les pays étrangers, les expatriés repèrent instinctivement les personnes qui parlent leur langue. Une enquête, menée à la fin des années 1990, a démontré que dans les prisons, les bandes se constituent selon la race, l'origine géographique et le type de crime commis.

D'après les chercheurs McCroskey, Richmond et Daly, il existe 4 étapes essentielles pour qu'un lien basé sur les similitudes se crée : le comportement, les valeurs, le vécu et l'apparence. Inconsciemment, lorsque nous rencontrons quelqu'un, nous nous demandons : « Est-ce que cette personne pense comme moi ? Partage-t-elle mes valeurs ? A-t-elle vécu les mêmes choses que moi ? Me ressemble-t-elle ? »

De ces 4 facteurs de similitudes, le comportement et les valeurs sont les plus importants. Si vous tentez d'influencer une personne, essayez de découvrir si vous partagez des activités, un sport ou un loisir ; si vous aimez les mêmes films, livres ou musiques ; ou si vous avez des enfants du même âge.

Évidemment, il est important, dans une tentative de persuasion, de mettre en avant une similitude qui soit en rapport avec le contexte et qui soit positive.

Plus vous aurez de points communs avec une personne, plus vous paraîtrez aimable à ses yeux et plus votre capacité à la convaincre augmentera.

Repérer la technique (et éventuellement s'en protéger)

Si une personne vous paraît sympathique et que c'est réciproque, la relation pourra – qui sait ? – évoluer vers une amitié ou une histoire d'amour. La seule précaution qui s'impose ici est de ne pas entretenir ce courant de sympathie si vous ne souhaitez pas aller plus loin dans la relation. Il est plus compliqué par la suite de se défaire d'une personne qui vous paraît aimable mais qui ne vous intéresse pas vraiment. Dans un contexte commercial, il s'agit d'être plus vigilant. S'il est agréable de traiter avec un vendeur sympathique (plutôt qu'antipathique), qui est supporter comme vous du PSG et qui joue à la pétanque le dimanche, il faut toutefois se méfier d'une trop bonne entente qui pourrait vous pousser, sans que vous vous en rendiez compte, vers un achat inconsidéré.

27

« Je vous trouve très beau »

La technique de la flatterie

« Tout flatteur vit aux dépens
de celui qui l'écoute »

La Fontaine

Vous souvenez-vous de la fable de La Fontaine *Le Corbeau et le Renard* ? C'est en flattant le corbeau, perché sur un arbre, que le renard parvient à faire chanter (ou plutôt croasser !) le volatile et à récupérer alors le délicieux fromage qu'il tenait dans son bec.

La flatterie est une technique de manipulation universelle et (souvent) efficace.

C'est prouvé !

Dans les années 1970, les chercheurs Andrew M. Colman et Kevin R. Olver ont prouvé que la flatterie augmentait l'estime de soi de celui qui la recevait. Les sujets étaient trente étudiants de sexe masculin vivant dans différentes résidences étudiantes à l'université de

Leicester. Après que les uns ont été flattés et pas les autres, chaque sujet a répondu à une version abrégée d'un questionnaire d'estime de soi. Les étudiants flattés obtinrent des scores supérieurs.

En outre, des études récentes de Chan et Sengupta (2010) ont montré que, dans les magasins, la flatterie est utilisée pour inciter les clients à acheter un produit ; et cette technique fonctionne. La recherche a révélé que, lorsque la flatterie se produit, la réaction initiale favorable subsiste, même lorsque le client découvre que la flatterie n'était pas sincère !

Dans les films ou dans la littérature, on trouve aussi bon nombre de personnages de flatteurs qui réussissent socialement grâce à ce stratagème vieux comme le monde. Par exemple, dans les films d'époque et en costume, les courtisans des rois (chefs d'État, chefs de guerre, etc.) ont souvent recours à la flatterie (de même pour les arrivistes en entreprise ou ailleurs).

La technique en bref

La flatterie est une louange *intéressée* qui diffère du compliment sincère. Le flatteur, agréable et séduisant, caresse dans le sens du poil l'ego de son interlocuteur. Du coup, ce dernier risque de se montrer beaucoup plus réceptif aux demandes du flatteur…

Pourquoi ça marche ?

Qu'il est bon de s'entendre dire des choses agréables ! Qu'il est agréable d'entendre cet homme ou cette femme nous dire que nous sommes beaux, compétents, ou bons cuisiniers, ou excellents mentalistes…

Oui, mais cette caresse de l'ego a un prix : la réciprocité. À force d'entendre des louanges (désintéressées, croyons-nous), nous trouvons le flatteur de plus en plus sympathique et nous avons envie de lui faire plaisir.

Attention : le flatteur n'attend pas une récompense immédiate, comme un vulgaire manipulateur qui vous propose, par exemple, un choix illusoire (voir technique du choix illusoire, p. 117). Il investit pour plus tard.

Un séducteur commence le dîner en flattant sa belle, mais il espère bien qu'elle finira dans son lit.

Un arriviste séduit les puissants, en espérant, un jour peut-être, obtenir quelque chose de leur part. Le photographe François-Marie Banier a longtemps vécu dans l'intimité de la milliardaire Liliane Bettencourt : il lui vouait une « amitié » profonde non dénuée de flatterie. Cette relation a fini par porter ses fruits... à hauteur d'1 milliard d'euros !

Parfois, la flatterie s'apparente à la technique de l'étiquetage (« Tu es si généreux » pour obtenir un prêt) mais pas toujours ! Le flatteur flatte « à fonds perdu », si j'ose dire, c'est-à-dire qu'il noie « la cible » de compliments divers et variés, peu importe l'étiquetage. Et plus il y en a, mieux c'est. Attention quand même à ne pas passer pour un vil flatteur...

Usages de la technique

La flatterie marche, depuis toujours, à peu près dans toutes les situations. Pour obtenir quelque chose de quelqu'un, c'est un excellent moyen. Elle doit cependant *ne pas être trop éloignée de la véritable personnalité de l'individu*, afin de ne pas paraître exagérée ou fausse. Un flatteur est vite repéré. La personne flattée sait bien qu'elle n'a pas forcément toutes les qualités qu'on lui prête. Pourtant, la plupart du temps, être flatté est si agréable qu'on préfère prendre pour argent comptant de tels propos.

Dans la séduction, la flatterie est évidemment l'arme première : « Tu es une fille incroyable », « Tu es la plus belle ce soir », « Tu sais que je t'adore... », etc.

Cela peut sembler évident au premier abord, mais il y a quelques mises en garde importantes à faire au sujet de la flatterie. Les chercheurs ont constaté que si vous flattez quelqu'un qui se tient en haute estime, et que la flatterie est considérée comme sincère, cette personne vous aimera encore plus, comme si vous validiez le propre sentiment qu'elle se fait d'elle-même. En revanche, si vous flattez quelqu'un qui a une faible estime de soi, il y a de fortes chances que cela se retourne contre vous et que cette personne se méfie de vous... car votre flatterie interfère avec la façon dont la personne se perçoit. Bien sûr, cela ne signifie pas que vous deviez rabaisser une personne qui n'a pas une très bonne estime d'elle-même !

Pour en savoir plus

Beaucoup de gens ne savent pas complimenter. Si vous souhaitez flatter quelqu'un, interrogez-vous sur ce qui vous plaît vraiment chez cette personne. Nul besoin d'inventer. A-t-elle un joli nez ? Une intelligence vive ? Une belle capacité d'écoute ? Appuyez-vous sur les qualités de la personne pour user de flatterie.

La flatterie peut directement être suivie d'une demande : on appelle cela « la flatterie conditionnelle ». Exemple : « Je m'adresse à toi car je sais que tu es le meilleur dans ce domaine. » On est proche ici de la technique de l'étiquetage (voir p. 105).

Mais la plupart du temps, la flatterie ne s'accompagne pas d'une demande précise et s'exprime sur des durées plus ou moins longues. Le courtisan d'un chef d'État peut très bien passer sa vie à flatter, sans pour autant rien obtenir de précis en échange... juste le droit de continuer à vivre et travailler au côté du chef d'État.

Repérer la technique (et éventuellement s'en protéger)

Sachez distinguer la flatterie des compliments sincères ! Beaucoup de gens peuvent vous faire des tonnes de compliments, simplement parce qu'ils vous aiment bien et sans chercher à obtenir quelque chose de vous.

La flatterie est insidieuse, c'est pourquoi elle n'est pas facile à repérer. Les filles très belles repèrent aisément les séducteurs. Les chefs d'État connaissent bien les courtisans et les flatteurs. Mais vous ? Si on vous flatte, il est probable que ce sera sur le mode de l'étiquetage :

— Toi qui es si doué pour ce genre de démarches, tu pourrais m'aider à demander une subvention à la région pour mon association ?

Dans ce cas, enlevez l'étiquette !

— Je ne suis pas sûr d'être si doué que tu le dis. Et puis : Désolé, je n'ai pas le temps de t'aider !

28

« Tu serais un amour si... »

La technique de l'éloge conditionnel

Vous vous promenez avec votre petite amie quand celle-ci vous lance : « *Tu serais un amour si tu acceptais* qu'on garde la chienne de ma sœur. » Elle sait pourtant très bien que cela ne vous emballe pas de garder cet animal ! Pourtant, vous acceptez... pour être « un amour ».

Avec cet éloge (« un amour ») assorti d'une condition (« si tu acceptais »), votre petite amie vient de vous manipuler !

C'est prouvé !

De nombreuses études ont montré que, dans un contexte d'enseignement, les professeurs jouent un rôle important auprès des élèves en les valorisant afin qu'ils prennent des engagements, remportent de meilleures notes et développent un comportement plus acceptable en cours. Plus l'élève est valorisé, meilleurs ses résultats seront. Les éloges précis font la différence et permettent aux élèves de se structurer à partir des qualités qu'on leur a prêtées.

La technique en bref

Pour réussir cette technique de manipulation, il faut montrer à l'interlocuteur qu'il peut perdre les qualités qu'on lui prête s'il n'accepte pas la proposition qu'on lui fait.

Exemples :

« *Tu serais gentil* de m'accompagner à la réunion. » Sous-entendu : si tu ne viens pas, tu n'es pas gentil.

« Allez, *sois sympa*, j'ai envie que ma mère vienne vivre chez nous ! » Sous-entendu : si vous n'acceptez pas que votre belle-mère vienne envahir votre salon, vous n'êtes pas sympa.

Ses qualités étant mise en balance, l'interlocuteur a tendance à accepter la demande qu'on lui fait. L'éloge conditionnel est un levier très efficace pour contraindre quelqu'un.

Pourquoi ça marche ?

Ça marche parce que les gens ont peur *de baisser* dans l'estime de leurs amis, collègues ou membres de leur famille. Pour ne pas perdre cette bonne image qu'on a d'eux, ils ont tendance à se conformer à ce qu'on attend d'eux (venir en réunion pour être gentil, accepter leur belle-mère à demeure pour être sympa).

Usages de la technique

Comme l'étiquetage simple, l'étiquetage conditionnel fonctionne parfaitement au travail ou en milieu scolaire.

Un patron peut très bien dire à l'un de ses salariés récemment promu :

— *Soyez un bon chef d'équipe*, restez cette semaine jusqu'à 21 heures pour donner l'exemple.

On imagine aisément que le salarié se conformera à cette injonction sous peine de passer pour un « mauvais chef d'équipe » aux yeux de son employeur.

Avec une formulation un peu différente, un professeur peut dire à son élève :

— Vous seriez brillant *si seulement vous vous donniez un peu de mal.*

Pour être brillant (conforme au vœu implicite de son professeur), peut-être l'élève se donnera-t-il un peu de mal ?

Attention, n'abusez pas de la technique, les gens qui reçoivent trop d'éloges finissent par se reposer sur leurs lauriers !

Pour en savoir plus

Au minimum, votre éloge conditionnel doit inclure quatre éléments :

- le nom de la personne à qui vous le faites ;

• la qualité spécifique que vous souhaitez mettre en avant ;
• être sincère ;
• votre demande précise.

Si votre éloge est vague, il peut manquer de sincérité. Si vous êtes en revanche extrêmement précis, vous pouvez contourner la résistance naturelle de votre interlocuteur et gagner sa confiance.

Voilà quelques exemples de qualités qui pourront vous inspirer selon les situations : attentif aux autres – protecteur – disponible – quelqu'un sur qui on peut compter – fiable – serviable – travailleur – mature – généreux – quelqu'un qui sait garder un secret – quelqu'un qui aime les gens pour ce qu'ils sont – responsable – quelqu'un qui n'a pas de tabou – indépendant d'esprit – vrai – énergique – quelqu'un qui sait gérer les conflits – quelqu'un qui n'est pas naïf – créatif – quelqu'un qui a confiance en soi – intuitif – logique – imaginatif – optimisme – quelqu'un qui a des valeurs, etc.

Repérer la technique (et éventuellement s'en protéger)

Peut-être suffit-il de dire :
— Je suis gentil. Mais je ne peux pas t'accompagner à la réunion.

Ou encore, en formulant une concession :
— Je suis sympa, mais je refuse d'accueillir ta mère pour une durée indéterminée. En revanche, elle est la bienvenue aussi souvent qu'elle veut pour de courtes périodes.

Peut-être avez-vous, dans ce cas, été victime de la technique de la porte au nez ? (voir p. 75). À une requête très importante, vous venez de répondre par une acceptation relative...

29

« Je suis ta sœur, quand même ! »

La technique des liens familiaux

En 2011, quelques jours après la fusillade de Tucson (Arizona) qui fit de nombreuses victimes, le président Obama a utilisé à plusieurs reprises dans son discours la métaphore de la famille. « Nous sommes tous de la famille américaine », a-t-il dit. Il a même cité certaines personnes en les désignant comme des membres d'une même famille : « Il est notre frère, elle est notre mère. » Invoquer les liens de la famille se révèle très puissant pour créer dans l'esprit de tout un chacun un sentiment d'unité et d'appartenance.

Par ailleurs, nos parents nous l'ont souvent répété quand nous étions enfants : « Je suis ta mère, je t'interdis de faire ça. » Ou encore : « Je suis ton père, j'ai envie que tu réussisses à l'école. » Aujourd'hui, alors que nous sommes à l'âge adulte, peut-être même agissent-ils toujours ainsi ?

Se réclamer du *lien familial* qu'on a avec la personne, c'est déjà la manipuler.

C'est prouvé !

Une étude ING Direct – TNS Sofres de 2012 a mis en évidence un fait étonnant : pour 81 % des sondés, la famille et le foyer doivent être privilégiés, loin devant la carrière, les loisirs, les amis ou la satisfaction personnelle ! Ce chiffre sans appel prouve, si besoin était, la puissance de la valeur « famille » chez les êtres humains... En manipulation, celle-ci peut se révéler un levier très puissant !

La technique en bref

Dans cette technique, si vous avez un lien familial avec la personne que vous voulez influencer, rappelez-le-lui : « Je suis ta sœur quand même, tu pourrais te porter caution pour mon appartement ! »

Pourquoi ça marche ?

Le lien familial légitime très fortement la demande que vous formulez. Car il fait appel aux liens du sang ! Et ceux-ci sont profondément ancrés en nous.

Si vous êtes un peu doué en informatique et que votre petite sœur de 11 ans vous demande de l'aider à créer son blog, vous pouvez lui répondre : « Désolé, j'ai d'autres sites à créer pour des amis avant toi. » Mais si elle réplique : « Je suis ta sœur quand même, tu pourrais m'aider en priorité », nul doute que sa demande rencontrera un écho positif en vous ! Et vous de répondre : « Bon d'accord, je ferai ton blog ce week-end. Mais c'est bien parce que c'est toi (technique de la distinction, voir p. 137) ! »

Pour Irène Théry, sociologue du droit et spécialiste de la famille, « nos contemporains placent très haut la famille dans l'échelle des valeurs. Pour les nouvelles générations, elle arrive même en tête. La famille a regagné [...] une certaine authenticité. C'est aussi parce que *c'est une valeur refuge, c'est l'endroit où il y a un "nous"*. [...] cette crise du divorce n'entraîne pas nécessairement la fin de la famille, des relations parents-enfants. [...] Les recompositions familiales, les familles monoparentales font partie du paysage familial ».

Usages de la technique

En réalité, cette technique peut être utilisée en dehors de la famille. Beaucoup de personnes s'en inspirent pour l'employer dans le milieu professionnel. Au lieu d'un lien familial, on a cette fois recours à un lien amical plus ou moins réel :

« Enfin, nous sommes amis quand même ! Je ne comprends pas pourquoi tu t'opposes à la création de ce nouveau projet. »

Pour en savoir plus

Savoir demander de l'aide à sa famille ne s'improvise pas. Voici le mode d'emploi.

Demander en étant reconnaissant, montrer son appréciation !

Dans l'absolu, votre famille ne vous doit rien sauf si vous êtes mineur. Lorsque vous demandez quelque chose, utilisez une quantité égale de gratitude et d'appréciation : « Papa, je sais que tu travailles très dur, que tu as toujours fait ce qu'il fallait pour moi, mais j'ai encore quelque chose à te demander... » Votre requête n'en sera que mieux reçue.

Proposez de l'aide

Lorsque vous demandez quelque chose, offrez aussi quelque chose en retour.

Valorisez votre famille

Une chose qui inquiète tout le monde, qu'on l'admette ou non, est la façon dont on apparaît vis-à-vis des personnes extérieures à la famille. En sortant avec vos frères et sœurs, vos parents, habillez-vous au mieux, faites bonne impression devant leurs amis... votre famille vous en sera éternellement reconnaissante.

Contribuez

— Maman, j'ai vraiment besoin d'une nouvelle paire de jeans. Ça coûte 80 euros et je n'ai pas beaucoup d'argent. Si je paie la moitié avec mon argent du baby-sitting, tu pourras compléter ?

Paraissez responsable.

Inspirez confiance

La principale chose que vous aurez besoin de prouver est que vous êtes assez mature pour mériter cette chose que vous voulez.

Pas de drame

Nous nous sentons tous maltraités parfois en famille et pensons que nous méritons mieux. Cependant, être mature signifie parfois être heureux avec ce que nous avons ! Démontrez-le.

Patience

Commencez les grandes requêtes ainsi :

— Tante Agathe, ne dites pas oui ou non maintenant, je veux que vous réfléchissiez à ce sujet avant de répondre.

Organisez vos demandes avec soin

Assurez-vous que la personne à qui vous demandez quelque chose est de bonne humeur et qu'elle dispose d'un peu de temps.

Repérer la technique (et éventuellement s'en protéger)

Il se peut qu'un membre de votre famille soit amené à vous demander une certaine somme d'argent, en invoquant habituellement une histoire triste : « Je me suis mis dans une situation compliquée, un engrenage, je suis criblé de dettes, je ne sais plus quoi faire, je suis perdu », et surtout en insistant sur le fait qu'il vous rendra votre argent rapidement.

Bien sûr, il est important d'écouter cette personne en faisant preuve d'empathie, mais surtout ne promettez rien tout de suite. Expliquez que vous allez y réfléchir et donnez-lui la date de votre décision pour réduire son anxiété. Réunissez les preuves de son réel besoin et assurez-vous qu'il ne s'agit pas de recourir à cet argent pour satisfaire une addiction (jeux, drogue...). Vous risqueriez d'enfermer encore plus cette personne dans son problème et de ne pas lui donner l'occasion de s'en sortir. Assurez-vous également de ne pas vous mettre en danger vous-même financièrement.

Une fois que vous avez soigneusement évalué vos capacités financières, et partant du principe que de l'argent prêté à un membre de la famille n'est pas nécessairement rendu, vous êtes en mesure de prendre une bonne décision.

30

« Si tu fais ça, j'en mourrai ! »

La technique du chantage affectif

« Si tu vas à cette soirée, une chose est sûre : tu n'entendras plus parler de moi ! » : cette phrase (ou ses variantes) est un classique, vous l'avez peut-être vous-même déjà entendue !

Sous ses airs d'ultimatum, c'est une technique de manipulation puissante.

C'est prouvé !

Selon la psychothérapeute américaine Susan Forward, qui a popularisé l'expression, le « chantage émotionnel » est une puissante forme de manipulation : des maîtres chanteurs proches de la victime la menacent, directement ou indirectement, de punition s'ils n'obtiennent pas ce qu'ils veulent. « Beaucoup de gens qui utilisent le chantage affectif sont des amis, collègues et membres de la famille avec qui nous avons des liens étroits », explique la psychothérapeute. Sachant que la victime attend de l'amour ou de la reconnaissance, les maîtres chanteurs peuvent menacer de lui retirer cet amour, cette reconnaissance.

La technique en bref

Le chantage affectif, surtout dans le couple et en famille, est constitué de deux propositions :

a. « Si tu fais ça... » (me quitter, abandonner tes études, partir en vacances sans moi, etc.)
b. « ... j'en mourrai » (ou moins radical : je serai désespéré, je vais souffrir, je te retire mon amour, tu vas le payer, etc.).

C'est une menace sentimentale. Si la personne n'agit pas dans le sens que l'on souhaite, on menace de souffrir énormément (voire de se tuer) ou de faire souffrir.

Pourquoi ça marche ?

En utilisant le chantage affectif, on inspire un sentiment de culpabilité chez l'interlocuteur. Ce dernier préférera renoncer à son projet plutôt que de nous voir souffrir.

Plus les sentiments de l'interlocuteur sont grands, plus il a de chances d'être piégé par cette menace sentimentale.

Dans une expérience, le psychologue Richard Katzev a mis en évidence que la culpabilité provoquait un désir de se racheter chez les gens. Voici comment il a procédé :

Dans un musée, un faux gardien réprimandait les gens qui tentaient de toucher les œuvres exposées.

Lorsqu'elles sortaient de la salle, un expérimentateur laissait tomber devant elles un sac contenant des stylos, des pièces de monnaie et des cartes. Elles étaient alors plus nombreuses que les personnes qui n'avaient pas été réprimandées à ramasser les objets tombés. Le sentiment de culpabilité les poussait à un comportement de réparation en venant en aide aux autres.

Usages de la technique

Cette technique est très utilisée par ceux qui manquent de confiance en eux. Avec le chantage affectif, ils cherchent à tester les sentiments de l'autre. Hélas, certains en abusent : ils l'utilisent comme un moyen de vous tenir constamment sous leur emprise ! Et ne font alors que jouer avec vos sentiments...

Le couple, la famille mais aussi les relations entre amis sont les lieux privilégiés du chantage affectif.

Les techniques de manipulation prenant appui sur les sentiments peuvent être très violentes. Peut-être pratiquez-vous le chantage affectif de temps en temps dans votre couple, mais je déconseille d'en faire une technique habituelle.

Pour en savoir plus

Le chantage affectif a ses variantes :

Le terrorisme sentimental

« Si tu vas à cette soirée, compte sur moi pour me venger. » Il y a ici menace de représailles.

La version « soft »

« Tu ne peux pas partir car tu sais que j'ai besoin de toi. » Tourner les choses ainsi peut s'avérer une bonne solution pour retenir son partenaire.

Repérer la technique (et éventuellement s'en protéger)

Pour désamorcer le chantage affectif dont vous êtes l'objet, ramenez votre interlocuteur à la raison. Voici deux exemples.

Votre partenaire :
— Si tu m'aimais, tu ne me laisserais pas seule ce soir.

Vous :
— Je ne vois pas en quoi te laisser seule ce soir diminue l'amour que j'ai pour toi.

Votre partenaire :
— Si tu vas à cette soirée, je te pourrirai la vie.

Votre réponse :
— Je ne vois pas comment cette menace pourrait me donner envie de rester avec toi ce soir.

Avec une réponse argumentée, vous arriverez peut-être à sortir du piège du chantage affectif !

31

« Attention ! Sinon... »

La technique de la menace

« Si vous ne versez pas la rançon, je tue votre fille ! » : un classique des films hollywoodiens. Qui joue avec la peur de perdre quelque chose, quelqu'un...

Mais la menace est aussi présente au quotidien, sans même que nous nous en rendions compte. Comme dans la publicité pour un célèbre détergent qui mettait en scène une patineuse sur glace :

« Si vous utilisez une poudre classique, voici ce qui va arriver à votre évier : *il raye !* »
« Utilisez donc le détergent liquide », etc.

Il n'y a pas de petites menaces.

En revanche, il y a toujours manipulation.

C'est prouvé !

Cette vulnérabilité à la menace s'observe parmi les individus, les couples, les familles, dans les cours d'école, les organisations et les nations. Qu'untel s'inquiète des conséquences qu'il y a à dire la vérité à son travail ou à son partenaire, que tel autre soit intimidé par un manipulateur, ou qu'un pays redoute une attaque terroriste, on atteint dans tous les cas le niveau orange de la menace, comme dans les alertes météo ou sécuritaires.

C'est notre cerveau qui réagit ainsi depuis la nuit des temps par la vigilance et la méfiance. Le système nerveux a évolué depuis six cents millions d'années. Nos ancêtres devaient prendre des décisions vitales plusieurs fois par jour pour éviter des dangers par exemple.

Des études ont par ailleurs montré que nous reconnaissons plus rapidement des visages en colère que des visages heureux, même quand ces images sont présentées si rapidement (un dixième de seconde) qu'on ne peut en avoir une reconnaissance consciente.

L'amygdale, qui est la sonnette d'alarme de notre cerveau, utilise les deux tiers de ses neurones à la recherche de mauvaises nouvelles. Une fois qu'elle sonne l'alarme, les expériences et les événements négatifs sont stockés dans la mémoire, contrairement aux expériences et aux événements positifs, qui doivent généralement être maintenus une dizaine de secondes ou plus pour être transférés dans notre mémoire à court terme et à long terme.

La technique en bref

La menace est une forme de chantage qui n'a rien d'affectif. On peut menacer de tuer votre enfant, ou de vous casser la gueule, ou simplement de vous crever les pneus…

En droit français, les menaces de mort sont un délit. Toute autre menace (atteinte à votre intégrité physique, à vos biens) peut faire l'objet d'un signalement au commissariat.

Bien sûr, il y a aussi les petites menaces du quotidien, en famille notamment : « Si tu ne finis pas ton assiette, ça va aller mal. » Celles-là font partie du quotidien de l'éducation d'un enfant et sont tout à fait normales. De même en entreprise : « Si vous ne remportez pas ce contrat, je vous préviens, je confie le prochain appel d'offres à quelqu'un d'autre. » Elles s'apparentent plutôt à des moyens de pression qui parsèment toute relation classique d'autorité.

Pourquoi ça marche ?

Il est indiscutable que la menace suscite la peur. La personne victime de menaces peut ressentir une forte angoisse. Elle répondra d'autant mieux aux attentes du manipulateur afin de se débarrasser de cette angoisse.

Usages de la technique

Les menaces sont souvent appliquées en dernier recours et représentent une technique de manipulation extrêmement brutale.

Bien entendu, je ne vous conseille pas d'employer la menace pour arriver à vos fins (sauf avec les enfants qui refusent obstinément de décoller de devant la télé, bien sûr !). Il existe beaucoup d'autres techniques plus douces et souvent plus efficaces !

Pour en savoir plus

Voici encore quelques menaces... d'importance et de gravité variées !

Au travail : « Si vous ne faites pas ce qu'on vous dit, vous serez viré. »

À l'école : « Demain, tu me rapportes 10 euros ou on t'attend à la sortie. »

En famille : « Je te préviens, si tu ne travailles pas, tu seras privé de télé. »

Avec un entrepreneur peu scrupuleux : « Si nous ne trouvons pas un arrangement à l'amiable, je me verrai contraint de porter plainte. »

La menace pose clairement ceci : si tu n'agis pas dans mon sens, il y aura des représailles !

Avant une menace quelconque, il peut être plus prudent de recourir à l'intimidation. Comment peut-on intimider ? Vous n'avez pas besoin d'être violent pour montrer aux autres qu'ils n'ont pas d'autre choix que de vous respecter et de respecter leur engagement envers vous. Soyez bref et froid tout en étant posé, et utilisez une voix claire et grave. Ne souriez pas, ne clignez pas trop des yeux, n'avalez pas votre salive, et n'ajustez pas votre pantalon. Gardez votre voix basse et calme.

Repérer la technique (et éventuellement s'en protéger)

Face à des menaces caractérisées, il existe divers recours :

- demander du soutien à une autorité compétente ;
- ne pas montrer sa peur afin de désarçonner le manipulateur : « Tes menaces ne servent à rien. » ;

• clarifier le contexte : « Est-ce que tu me menaces ? Tu sais que c'est grave ? »

Tout dépend finalement de la menace en elle-même. Certaines supposent des recours importants, d'autres moins. Sachez déterminer la véritable valeur de cette menace : sera-t-elle mise à exécution ?

32

Suivez mon regard…

La technique des sous-entendus

Vous êtes au travail, dans l'open space. Soudain, votre collègue Sandra passe tout près de vous :

— Je ne m'en sors pas avec la nouvelle proposition créative qu'il faut remettre au client d'ici demain. Ah, si seulement quelqu'un pouvait m'aider !

Puis elle s'éloigne. Mais vous avez bien compris que c'était à vous qu'elle s'adressait, indirectement. Pourtant, elle ne l'a pas fait frontalement. Elle n'a même pas prononcé votre nom. Elle a parlé de « quelqu'un », devant tout le monde (mais tout près de vous). Parfois, la technique des sous-entendus est plus efficace qu'une demande claire et nette. C'est une subtile technique de manipulation.

C'est prouvé !

En 1994, K. Kellermann et T. Cole, deux experts en communication, ont fait paraître une étude sur les stratégies de communication efficace, qui permettent d'obtenir des autres ce que vous voulez qu'elles fassent. Ils ont défini 64 stratégies et parmi elles, l'allusion. Ils ont défini plusieurs types de situations quotidiennes où l'allusion s'applique et fonctionne : plutôt que de demander directement à une collègue d'ouvrir la fenêtre, vous faites entendre qu'il fait chaud dans le bureau ; pour empêcher qu'un ami reste trop longtemps chez vous, vous lancez de temps en temps des allusions au peu d'espace dont vous disposez ; au lieu de demander directement à votre ami(e) d'avoir des relations sexuelles, vous tamisez la lumière, mettez de la musique douce et servez un verre.

Autrement dit, il s'agit d'amener une personne à se conformer à une demande en lui laissant entendre. En indiquant indirectement une demande, l'autre est plus à même de la respecter. Ça marche !

La technique en bref

Il s'agit donc de formuler une demande *de manière détournée*.

Par exemple :

Au travail :

— Je pense que certains devraient faire des efforts... (sous-entendu : Guillaume et Jean-Cédric ne travaillent pas assez, j'aimerais qu'ils se bougent un peu !).

En famille :

— Au moins, toi, tu sais te remettre en question (sous-entendu : ce n'est pas le cas de maman, j'aimerais bien qu'elle reconnaisse qu'elle s'est trompée quand elle a mal jugé ma relation !)

Avec des amis :

— Tout le monde a donné de l'argent pour l'anniversaire d'Alexandre ? (sous-entendu : j'attends encore les contributions de Bénédicte et Jérôme !)

En général, les êtres humains savent très bien s'exprimer par sous-entendus car ils n'ont pas toujours envie de formuler une demande de façon claire et frontale.

Pourquoi ça marche ?

Que ça marche ou pas, les personnes concernées par les sous-entendus captent en général très bien le message ! Question d'intonation, de regard, de situation...

Les sous-entendus visent toujours quelqu'un. Et la personne visée, en général, se sent coupable (de ne pas encore avoir mis au pot pour le cadeau d'Alexandre, de ne pas aider la pauvre Sandra débordée, etc.). La demande étant faite manière détournée, « la cible » enregistre le message sans pour autant avoir à réagir immédiatement. Surtout, cela lui permet de capter le message sans que tout l'open space (ou tous les amis d'Alexandre) sache que c'est lui (et lui seul, ou quelques autres dans le lot) dont il s'agit.

Grâce aux sous-entendus, le message est délivré mais *de façon camouflée.*

Usages de la technique

Lorsque vous essayez d'influencer quelqu'un au travail ou ailleurs, il est important d'être conscient de la formulation de vos phrases. Par exemple, si vous souhaitez que quelqu'un photocopie un long document, une phrase directe comme « Photocopie ce document », va apparaître comme un ordre. Cette forme impérative donne à toute la phrase une dimension autoritaire qui peut vous faire paraître tyrannique, ce qui est loin d'être le moyen le plus efficace et le plus subtil pour influencer les gens. Toutefois, si vous disiez : « Quelqu'un pourrait-il photocopier ce document ? », la phrase a alors un sens entièrement différent. Ici, la forme est vague et rend « n'importe qui » libre d'accepter ou de refuser. Il s'agit de la même demande et pourtant la notion d'ordre est inexistante dans une formule sous-entendue qui rend vos collègues plus susceptibles d'y accéder.

Pour en savoir plus

« Contrairement à... », « Certains devraient... », « J'aimerais bien que... », « Elle, au moins... » : n'hésitez pas à employer ce type de formules ; elles font mouche pour sous-entendre efficacement... sans pointer du doigt quelqu'un en particulier !

Dans une situation de séduction, cette technique est particulièrement intéressante. Il est parfois gênant pour des personnes timides ou anxieuses de demander directement un rendez-vous à une personne qui leur plaît. Par conséquent, il peut être très utile et rassurant d'adopter une approche indirecte.

La stratégie du sous-entendu pour obtenir un rendez-vous amoureux est la suivante :

1) Investiguez et proposez indirectement une alternative

Vous : Qu'est-ce que tu fais ce week-end ?

Elle ou lui : Ben, je pensais aller jouer au billard avec des amis.

Vous : Sympa. Moi, je vais au cinéma pour voir le dernier film des frères Cohen, j'ai lu de très bonnes critiques.

2) Suggérez l'invitation

Vous : Tu connaîtrais par hasard un bon restaurant japonais dans le quartier ? Une idée pour un vendredi soir après le travail.

Elle ou lui : Bien sûr, j'aime beaucoup celui de la rue Sainte-Anne qui s'appelle Le Bizan.

Vous : Merci pour la recommandation. En espérant que je ne m'y retrouverai pas seul, tous mes amis partent ce week-end...

Autre exemple.

Vous : Il paraît qu'un nouveau restaurant italien a ouvert dans le quartier. Tu aimes les plats italiens ?

Elle ou lui : Oui, beaucoup.

Vous : Est-ce que par hasard tu serais seul(e) ce week-end ?

Ces stratégies sont à la fois indirectes et efficaces. Mais attention avant de les utiliser. Alors que ces sous-entendus évitent de se sentir trop gêné par un refus en cas de demande directe, ils peuvent être interprétés par certaines personnes comme un peu intrusifs. Alors, pensez à les formuler avec un sourire, en y mettant de la gaieté plutôt que de la lourdeur.

Repérer la technique (et éventuellement s'en protéger)

Deux moyens existent :

- faire mine de ne pas se sentir viser par ces sous-entendus ;
- demander à ce que la personne exprime son message clairement.

Tout dépend de votre tempérament et de la situation. À vous de clarifier le contexte si vous en ressentez le besoin (« C'est moi que tu vises ? », « Qu'est-ce que tu sous-entends ? ») ou de « laisser couler », étant donné qu'aucun message n'a été délivré clairement.

33

« Il paraît que tu quittes ton boulot ? »

La technique du piège

L'humoriste Gérald Dahan est très fort pour piéger les politiques au téléphone !

En se faisant passer pour le compagnon de Marine Le Pen, il a réussi à faire dire à l'homme politique Nicolas Dupont-Aignan (divers droite) que Marine Le Pen avait « beaucoup de talent »... Compliment que ce dernier n'aurait évidemment jamais formulé publiquement !

Les petites blagues au téléphone de Gérald Dahan nous amusent. Mais au quotidien, nos interlocuteurs aussi nous tendent parfois des pièges pour nous soutirer des informations...

C'est prouvé !

Nous n'aurions nul besoin de tendre un piège à quelqu'un s'il n'était pas dans la nature humaine de mentir ou de dissimuler la vérité. Fort heureusement, il est aussi dans la nature humaine de ne pas savoir garder un secret et de se trahir.

Selon une célèbre étude menée en 1996 par la psychologue Bella DePaulo, à l'université de Virginie, le mensonge est en effet un constituant de la nature humaine. Durant une semaine, DePaulo et ses collègues ont demandé à 147 participants, âgés de 18 à 71 ans, de noter dans un journal toutes leurs interactions sociales et tous les mensonges qu'ils ont proférés au cours de cette période. En moyenne, chaque personne a menti un peu plus de 10 fois, et seulement 7 participants ont prétendu avoir été tout à fait honnêtes.

Pour Leonard Saxe, psychologue social et directeur de l'Institut en recherche sociale à l'université de Brandeis, n'importe qui peut, en réalité, être amené à mentir. La plupart du temps, nous mentons parce que nous voulons juste paraître sympathiques ou faire bonne figure (si votre petite amie vous demande si sa nouvelle robe lui va bien, vous répondrez très probablement oui !).

Lorsqu'ils mentent, la plupart des gens manifestent un trouble qui est trahi par un regard fuyant (évidemment, pas dans tous les cas, un menteur peut même faire l'inverse, regarder très fixement), la voix est plus aiguë, on transpire et la respiration est plus forte. Un menteur aura aussi tendance à croiser en même temps les jambes et les bras dans une attitude fermée et commence ses phrases par : « Pour être parfaitement honnête », « En toute franchise », « La vérité »... Il sera plus sur la défensive et moins coopératif. Les menteurs un peu rompus à l'exercice ou ceux qui cherchent à garder à tout prix un secret sont, eux, plus difficiles à débusquer. Une bonne raison de connaître quelques techniques du mensonge.

La technique en bref

Tendre un piège, c'est souvent prêcher le faux pour savoir le vrai. Généralement, la personne se justifie sans attendre :

— Alors, comme ça tu sors avec Greg ?
— Quoi ? Mais non, on s'est juste embrassés, c'est tout.

Vous voyez l'utilité du piège ? La personne, en se justifiant, laisse souvent passer quelques informations cruciales. Car vous ignoriez tout de ce baiser !

La nature du piège varie suivant les situations :
• se faire passer pour quelqu'un d'autre ;
• poser une question contenant une fausse information ;
• poser une question qui nécessite une réponse détaillée (quand une personne possède un alibi réel, elle peut décrire parfaitement là où elle était, avec qui, etc., alors qu'un menteur aura tendance à broder, cherchera ses mots et laissera plus de silences entre les mots).

Pourquoi ça marche ?

Nos émotions sont universelles et sont des réponses de notre cerveau limbique (Ekman, 2003). Froncer le front, écarquiller les yeux, serrer les mâchoires, crisper le visage et le cou, compresser la lèvre, haleter. Notre stress et nos signes de détresse se détectent dans nos physiologies.

En matière criminelle, les mots n'ont pas la même résonance selon qu'on est le meurtrier ou non (Navarro, 2003).

Comme une personne interrogée entend des questions, les mots vont éveiller le système limbique et les signes de détresse vont se manifester immédiatement, même à son insu.

Selon Nicole Prieur, psychanalyste et philosophe, « Peut-être devenons-nous un être conscient quand nous mesurons précisément que la trahison est toujours virtuellement présente dans la relation interpersonnelle, et qu'elle fait partie de nous. » Nous mentons donc mais nous nous trahissons, et nous trahissons aussi.

Usages de la technique

La police, rompue à l'art des interrogatoires, dispose de plusieurs pièges éprouvés pour confondre les malfaiteurs. Un policier qui interroge le suspect d'un cambriolage peut lui dire :

— Je sais que tu as tué M. et Mme Martin ! Où sont-ils ? Où sont les corps ?
— Mais je vous jure que je n'ai rien fait... J'étais dans la maison, mais je n'ai tué personne.
— Donc, tu étais dans la maison ?

Le suspect vient d'avouer le cambriolage !

Par ailleurs, un individu qui ment finit toujours par se trahir :

— Vous étiez à Nice hier ? Mais vous venez de nous dire que vous n'avez pas quitté Paris !

Prêcher le faux pour savoir le vrai est un grand classique, nous l'avons vu. En voici un nouvel exemple :

— Salut, Jessica. Alors, il paraît qu'à la rentrée, tu quittes ton boulot ? Il y a du changement dans l'air on dirait…

— Mais pas du tout, qui t'a dit ça ? Je suis très bien dans mon boulot !

— Ah, pardon, je croyais.

Bon, apparemment, Jessica n'est pas près de quitter son boulot. Elle sera donc à Paris (à Nice, à Bordeaux) l'an prochain.

Mais cette technique est parfois un peu trop apparente. Vous pouvez vous entendre répondre :

— Toi, tu prêches le faux pour savoir le vrai.

Et la personne se referme comme une huître. Elle ne vous fera plus confiance de sitôt !

Environ 4 % des gens sont des menteurs chevronnés et excellent dans leur art. Un piège souvent utilisé par les inspecteurs de la police judiciaire lors d'un interrogatoire consiste à ajouter des éléments entièrement faux à l'accusation pour faire « sur-réagir » les suspects qui se muraient jusque-là dans le silence.

Le piège consiste ainsi à modifier considérablement le scénario probable d'un acte (délit, crime…) et à écouter attentivement les mots que la personne accusée utilise. Prenons un autre exemple facile à comprendre.

Une mère est convoquée à l'école car son enfant aurait poussé dans la cour de récréation une élève, Aurélie, qui aurait été blessée à la tête en tombant. Le scénario probable est que l'enfant, après un conflit quelconque, ait poussé Aurélie qui se serait blessée en heurtant le sol. Face à son enfant qui nie tout en bloc, la mère cherche à déterminer la vérité.

— Est-il vrai que tu as giflé Aurélie, que tu lui as tiré les cheveux et que tu l'as poussée par terre ?
— Non, je ne l'ai pas giflée et je n'ai pas tiré ses cheveux.

L'enfant s'est trahi en niant uniquement ce qu'il n'a pas réellement fait.

Nous cherchons tous, en cas de mensonges, à nous défendre avec plus de véhémence sur les actes que nous n'avons pas réellement commis, et que nous allons mettre en avant. Sachez tirer parti d'un tel comportement.

Pour en savoir plus

Joseph Buckley, président de John E. Reid & Associates, a formé à plus de 500 000 agents de police à la méthode de l'interrogatoire. La société a également créé la « technique Reid », un interrogatoire en 9 étapes utilisé aux États-Unis par les forces de police.

Les 9 étapes de la méthode Reid sont :

Étape 1 : on fait comprendre au suspect que les preuves mènent à lui. Le but de l'interrogatoire n'est donc pas de savoir s'il a commis le crime mais de savoir quels étaient ses mobiles.

Étape 2 : on n'accuse plus le suspect mais quelqu'un d'autre. On veille aux thèmes qui se dégagent de l'interrogatoire et des circonstances qui entourent le crime.

Étape 3 : on empêche le suspect de nier l'accusation. Le but est qu'il ne prononce jamais ces mots : « Je n'ai pas commis… » qui retardent la confession.

Étape 4 : on pousse à la confession avec des arguments.

Étape 5 : on établit un lien de sincérité avec le suspect pour qu'il soit réceptif.

Étape 6 : le suspect est plus calme et écoute. C'est le moment où il est le plus vulnérable. S'il pleure, cela peut être un signe de culpabilité.

Étape 7 : l'interrogateur offre deux solutions pour expliquer le crime : l'une socialement plus acceptable que l'autre, et vérifie que le suspect choisit celle qui est socialement la plus acceptable.

Étape 8 : on amène le suspect à admettre sa culpabilité devant des témoins.

Étape 9 : on fait signer une déposition écrite de la confession faite pendant l'audition.

La méthode Reid est une des techniques d'interrogatoire les plus utilisées au monde. Mais dans plusieurs pays, comme la France, cette technique n'est pas compatible avec la législation en vigueur. Par exemple, en France, la présomption d'innocence ne permet pas une application stricte de cette méthode qui est en partie accusatrice.

Repérer la technique (et éventuellement s'en protéger)

Sachez que le téléphone incite à mentir ! D'après une étude auprès de 30 étudiants, le chercheur Hancock a observé que le téléphone provoquait 37 % de tous les mensonges, contre 27 % lors d'échanges en face à face, 21 % en utilisant le tchat, et 14 % par courrier électronique.

Si vous voulez que quelqu'un vous dise la vérité, préférez le face-à-face.

34

« Après tout ce que j'ai fait pour toi »

La technique de la dette

Vous connaissez les Hare Krishna, ce mouvement sectaire hindouiste dont les adeptes se baladent dans les rues des villes en chantant « Hare Krishna », « Hare Krishna », etc. ?

Souvent, lors des cortèges, les membres de la secte offrent un petit cadeau aux passants : un livre, une fleur... Quand le passant refuse, l'adepte insiste, insiste, insiste (on connaît la technique), et le passant finit par accepter en remerciant.

Quelques instants plus tard, l'adepte revient en demandant une petite participation financière : le passant, engagé dans un processus de dette (il vient d'accepter un cadeau offert si gentiment), ne peut que sortir son porte-monnaie et donner quelques pièces !

« Donnant donnant », la dette est une bonne technique de manipulation.

C'est prouvé !

Vance Packard, économiste et sociologue américain, a été le premier à étudier les techniques de manipulation mentale et de persuasion. Dans son livre *La Persuasion clandestine*, il explique comment un vendeur d'un magasin de l'Indiana parvient à vendre une quantité phénoménale de fromages en offrant de petits bouts en dégustation aux clients.

Les commerciaux le savent bien : il faut parfois vendre à prix coûtant (« c'est cadeau ») pour vendre plus cher ensuite. D'ailleurs, les dealers fonctionnent souvent ainsi avec la drogue (« la première dose est gratuite »).

La technique en bref

Plus on donne, et plus on reçoit ! Si c'est vrai dans la vie, c'est aussi vrai en matière de manipulation. Offrir quelque chose à quelqu'un (un petit service, un petit cadeau), c'est l'engager dans un processus de réciprocité. La personne se sent redevable et obligée de vous donner quelque chose aussi !

Pourquoi ça marche ?

Le principe de réciprocité est profondément ancré dans nos civilisations. *Recevoir* suppose de *donner en échange* : rembourser sa dette, rendre service à son tour, « rendre une invitation », etc.

En technique de manipulation, quand vous faites un petit cadeau à quelqu'un (même très modeste), la personne se sent immédiatement engagée (parfois inconsciemment). Soyez certain qu'elle aura envie, à un moment ou à un autre, de vous « retourner le cadeau », de faire quelque chose pour vous, d'accéder à votre demande... pour s'alléger de la pression de la dette qui pèse sur elle. Et si vous lui demandez très vite quelque chose, elle risque d'accéder à votre demande ! Ce serait trop délicat pour elle de refuser alors que vous venez *juste* de lui offrir un cadeau... Rappelez-vous : la réciprocité (le donnant donnant) est une constante des civilisations depuis des millénaires. Cela fonctionne encore aujourd'hui !

Usages de la technique

La technique de la dette est universellement utilisée ! Quand votre concierge distribue dans les boîtes aux lettres des cartes de vœux préimprimées, même si la carte est moche, vous vous sentez redevable et comprenez qu'il est temps de lui donner ses étrennes !

Entre voisins, on se rend des services : vous savez bien que si votre voisin vous demande de l'aider à garder son chat, vous pourrez lui demander, une prochaine fois, de vous aider à descendre un vieux meuble à la cave, sans être le moins du monde gêné ! Vous savez qu'il y a « dette », et lui aussi ne l'a pas oublié, même si, bien sûr, les choses ne sont pas formulées de cette manière (vous demanderez à votre voisin de vous aider sans lui rappeler que, la dernière fois, vous avez gardé son chat).

En revanche, certaines personnes sont très douées pour activer et formaliser ce principe de la dette... et certains parents en premier lieu :

— Comment, tu refuses de faire médecine... après tout ce qu'on a fait pour toi ?

De même, quand les Hare Krishna vous offrent un cadeau tout bête (une fleur séchée, un vieux bouquin), ils visent un objectif précis :

— Vous n'auriez pas 1 euro pour soutenir l'association ?

La technique de la dette est très puissante. Elle fonctionne quasi systématiquement, à court ou à long terme, avec les petits comme avec les grands cadeaux :

— Je t'ai prêté mon appartement, tu pourrais quand même me prêter ta voiture !

Etc.

Dans la vie de tous les jours (au travail, avec vos amis, etc.), aidez les autres le plus souvent possible, faites-leur de petits cadeaux, et vous verrez que certains vous le rendront ! Oh, pas tous. Certains sont très habiles pour « ne pas rembourser leur dette ». Mais au moins aurez-vous fait une bonne action. En prime, vous vous serez fait plaisir ! Car, oui, donner est agréable et cela ne doit pas être envisagé uniquement comme une technique de manipulation.

Pour en savoir plus

Il n'y a pas de protocole précis car cette technique peut être employée de multiples façons possibles.

Vous pouvez créer une dette en rendant service à vos voisins, en aidant vos collègues, en invitant souvent vos amis à dîner, en vous montrant de toutes les manières possibles généreux *et désintéressé*. C'est le meilleur protocole pour toucher les « intérêts de votre dette » à un moment ou un autre !

Repérer la technique (et éventuellement s'en protéger)

Si vous suspectez une technique de manipulation par la dette (comme dans l'exemple des Hare Krishna), refusez fermement mais poliment le petit cadeau qu'on vous tend.

Ne soyez tout de même pas trop méfiant : acceptez les cadeaux qu'on vous fait de bon cœur… il sera toujours temps de rendre la pareille !

35

« C'est le tout dernier exemplaire, vous l'achetez ? »

La technique de la restriction

Décidément, les vendeurs d'automobiles ont bien des techniques pour nous pousser à l'achat :

— Bonjour, cette voiture vous plaît ?
— Oui. Elle vaut combien ?
— 50 000 euros. Mais il faut se décider très vite car c'est la dernière et quelqu'un veut l'acheter !
— Ah, oui, bien sûr… *(réfléchissant)*… elle m'intéresse vraiment, cette voiture.

Quelques instants plus tard, vous voilà assis au bureau du concessionnaire en train de signer les papiers d'achat du véhicule.

Vous venez de vous faire manipuler !

C'est prouvé !

Ce qui est rare est meilleur : voilà ce qu'a prouvé le psychosociologue Stephen Worchel. Dans un test effectué avec des biscuits au chocolat (une boîte avec 10 biscuits, une autre ne contenant que 2 biscuits), les biscuits de la deuxième boîte étaient jugés plus tentants, de meilleure qualité et plus chers. Par ailleurs, l'expérience a travaillé sur « la rareté par la demande ». Quand les participants pensaient qu'ils avaient droit à moins de biscuits car d'autres les désiraient, alors l'attrait pour le biscuit était encore plus fort ! Voilà pourquoi les gens se précipitent aux premiers jours des soldes : des milliers de personnes convoitent la même chose qu'eux ! Idem aux derniers jours de l'exposition d'un immense artiste, à une conférence dont le nombre de place est prétendument « limité »... Les agents immobiliers usent de la technique de la rareté en permanence : « exclusivité », « unique à Paris », « il faut se décider très vite, madame, j'ai déjà plusieurs personnes intéressées », etc. Les agents littéraires font de même lorsqu'ils « buzzent » autour d'un livre. Oui, la motivation est redoublée à l'idée d'être en compétition. Mais cette frénésie peut être dangereuse et nous pousser à dépenser beaucoup d'argent !

La technique en bref

Dans le domaine de la vente, la technique de la restriction est souvent utilisée : le vendeur fait miroiter la rareté du bien qu'il propose pour pousser à l'achat.

Dans l'exemple de la voiture, la rareté est accentuée par le fait que non seulement « c'est la dernière » mais aussi parce que « quelqu'un d'autre veut l'acheter »... Il faut donc se décider très vite !

Pourquoi ça marche ?

Nous avons tous été témoins un jour de l'incapacité d'un enfant à résister de toucher à quelque chose quand on veut l'en empêcher. C'est irrésistible. Lorsqu'on se sent « empêché » ou lorsqu'on a l'impression d'être privé de quelque chose, nous réagissons en voulant l'article en question.

Aujourd'hui, face à la rareté, le client est attiré. C'est le principe même du luxe : ce qui est rare est cher, mais aussi désirable.

Si l'on prétend qu'un autre client est intéressé, on crée en plus une angoisse : dans quelques heures, demain, dans deux jours, cette voiture ne sera peut-être plus en vente ! On stimule chez le client l'angoisse de la perte... et le désir de possession ! « Vous payez par carte ? »

Le sentiment qu'un autre que « moi » puisse obtenir ce bien est très puissant, il renvoie à la compétition, à l'envie d'être « le premier ». En période de soldes, des gens se ruent sur les biens de consommation à l'ouverture des portes des magasins ! Par peur de passer à côté d'une bonne affaire, comme si leur vie en dépendait...

Usages de la technique

Nous sommes à l'ère du numérique, les informations sont disponibles en quantité, et à l'ère de la consommation de masse, les objets foisonnent. Mais pas toutes les informations, et pas tous les objets.

Il existe des informations uniques et rares, un bon tuyau boursier, par exemple. Des hommes d'affaires ou des boursicoteurs sont prêts à payer pour les obtenir.

Ainsi si vous avez quelque chose de valeur, que personne d'autre ne possède, il y a de fortes chances pour que quelqu'un souhaite l'acquérir. Ce peut être un talent (votre voix, votre écriture, qui sait ?), une expertise (vous êtes un connaisseur en fromages suisses, pourquoi ne pas ouvrir une boutique en ligne ?) ou tout simplement votre grenier (il est possible que vous possédiez un meuble des années 1950 et 1960 qui se rachète aujourd'hui sur le marché des antiquaires à des milliers d'euros).

Cette rareté se cultive, faites en sorte de la valoriser, par exemple dans une situation de séduction. Vous n'êtes peut-être pas un « beau gosse » ou une fille « canon », peu importe, vous jouez dans un groupe de rock, dites-le en toute humilité, vos parents ont de l'argent, ça ne mange pas de pain de le glisser dans la conversation, vous avez un ancêtre prestigieux, vous avez refait tout votre appartement seul, etc. Faites passer l'information auprès de l'élu de votre cœur.

Pour en savoir plus

Si vous vendez un produit, limitez la disponibilité du stock ou fixez une date de clôture de l'offre, ou encore créez des éditions spéciales de vos produits en le précisant.

La rareté se travaille. Si vous voulez vendre votre appartement, expliquez à l'acheteur pourquoi il est rare (« Il y en a peu dans le quartier qui ont une si belle vue », « C'est rare d'être aussi bien placé entre l'école et les commerces et si près du métro », etc.).

Vous-même, pour un entretien d'embauche, vous pouvez vous faire valoir comme étant « une compétence rare », donc à embaucher de toute urgence (attention tout de même à ne pas paraître trop prétentieux !). Vous savez bien que votre rareté, vous avez dû la cultiver ! Adolescent, vous étiez peut-être un excellent élève dans le collège de votre petite ville : vous étiez alors la coqueluche des professeurs et des élèves ébahis devant une intelligence si peu commune. Plus tard, en classes préparatoires aux grandes écoles, votre rareté a brutalement fondu, face à des centaines d'autres élèves aussi bons que vous voire meilleurs. Il vous a fallu travailler dur, intégrer une grande école et apprendre le chinois, le russe ou l'arabe pour « retrouver de la rareté » et faire progresser votre valeur.

N'oubliez pas : ce qui est rare est cher, et la rareté se cultive...

Repérer la technique (et éventuellement s'en protéger)

La rareté peut être un prétexte pour gonfler les prix. Les commerçants en jouent parfois. Les cuisinistes, par exemple, font appel à ce principe de rareté et d'urgence (l'urgence étant une rare et dernière occasion). On vous fait profiter d'une prétendue immense ristourne qui n'est malheureusement valable que deux jours. Vous signez la commande pour apprendre à l'issue de ces deux jours qu'une nouvelle promotion a été mise en place. Avec ce principe de rareté, les gens ont souvent le sentiment de passer à côté d'une immense occasion s'ils n'agissent pas rapidement. Ne vous laissez pas avoir !

36

« D'après une étude scientifique... »

La technique de la preuve d'autorité

À la télévision, lors d'un débat, deux experts s'affrontent. Soudain, l'un cloue le bec à l'autre :

Écoutez, monsieur, d'après un rapport de l'Unesco, une étude de la FAO et les statistiques de la Banque mondiale, tout ce que j'affirme est purement et simplement prouvé.

Silence sur le plateau.

Le présentateur enchaîne et on passe à un autre sujet.

Nous venons d'assister à une manipulation par la preuve d'autorité : l'interlocuteur n'a pourtant brandi aucun chiffre, aucune étude ! La seule invocation d'une autorité (Unesco, FAO, etc.) a suffi pour prendre le pouvoir sur la discussion.

Voyons ensemble comment fonctionne la preuve d'autorité – qui ne se limite pas aux rapports de l'Unesco mais peut prendre diverses formes (patron, parents, télé, etc.) !

C'est prouvé !

En 1966, une équipe de chercheurs de l'université du Midwest (Hofling et al.) s'est livrée à une expérimentation tout à fait éloquente. Dans un hôpital, 22 infirmières travaillaient de nuit. Le docteur Smith (un faux médecin joué par un expérimentateur) a téléphoné à toutes les infirmières de l'hôpital (autrement dit à 22 reprises), leur demandant de vérifier si elles avaient dans la pharmacie le médicament Astroten. Dans l'affirmative, elles devaient l'administrer à un certain Mr Jones selon un dosage précis. 95 % des infirmières (soit 21 sur 22) vont obéir à cette demande alors qu'elle émane d'un faux médecin, et qu'elle est formulée au téléphone ! Sachez enfin que le médicament en question est dangereux et non homologué.

En obéissant ainsi, les infirmières ont contrevenu à trois règles de l'hôpital :

1. Elles ne sont pas autorisées à accepter des instructions par téléphone.
2. La dose était le double de la limite maximale indiquée sur la boîte.
3. Le médicament lui-même était non autorisé.

Fort heureusement, le médicament administré par les infirmières était une gélule de saccharose inoffensive mise au point pour l'expérience.

C'est bien la preuve que sous certaines conditions, on se soumet à l'autorité représentée par un titre ou un expert.

La technique en bref

La technique consiste à invoquer des *arguments d'autorité* (études, citations d'experts ou de personnalités, dernier discours du patron lors du séminaire de rentrée, etc.) pour emporter l'adhésion de votre interlocuteur.

Quel que soit le propos que vous avanciez, vous serez toujours plus convaincant avec un : « J'ai lu dans *Le Monde* que... », « D'après une étude de la NASA... » ou « Comme le disait le DG au séminaire de rentrée... ».

Imaginez que vous soyez en pleine discussion avec votre ami Pierre, ultra-réticent aux nouvelles technologies... à tel point qu'il ne possède même pas de téléphone mobile ! Vous aimeriez pourtant lui offrir un téléphone pour son anniversaire et vous tâtez donc le terrain.

Lui :

— Je n'aime pas les portables. Ce n'est pas très écologique et en plus, c'est mauvais pour la santé à cause des ondes !

Vous :

— Le modèle dont je te parle a été fabriqué avec des matériaux recyclés, on en a même parlé à la télévision ! En plus, ce téléphone émet 4 fois moins d'ondes que ses concurrents : une étude indépendante en atteste.

Lui, manifestement convaincu :

— Ah, dans ce cas, c'est un peu différent. Redis-moi la marque de ce modèle ?

Pierre semble intéressé... il va peut-être enfin accepter de s'équiper en téléphone mobile ! Normal, vous venez d'employer deux arguments d'autorité (télé + étude indépendante).

Pourquoi ça marche ?

Cette technique est efficace car vous vous effacez derrière quelqu'un d'autre ! Ce quelqu'un d'autre est un tiers reconnu : média, expert, organisme scientifique, voire supérieur hiérarchique qui en sait forcément plus que vous (d'ailleurs, c'est lui qui commande). À ce moment-là, ce n'est plus vous qui parlez mais votre allié « plus grand que vous ». Vous appelez à la rescousse quelqu'un de très important.

Si Pierre et Bastien débattent, comment savoir qui a raison ? En revanche, si Pierre argumente contre Bastien *et* le CNRS, il va forcément avoir plus de mal.

Il est très difficile de contester tout seul une autorité validée par la société (un organisme de recherche, mais aussi, par exemple, une chaîne de télévision commerciale regardée par des millions de gens – on rejoint ici la preuve par les autres, évoquée dans la technique du même nom en p. 211).

Quand nous étions enfants, nous avions souvent tendance à nous abriter derrière la preuve d'autorité pour influer sur le cours des choses. À cette époque, la personne faisant autorité, c'était « papa » ou « maman ».

Imaginons le petit Lou et sa grand-mère qui le garde pour l'après-midi. Lou veut absolument un deuxième yaourt à la fraise. Sa grand-mère refuse, Lou a déjà assez mangé. Mais Lou réplique : « Maman a dit que j'ai le droit de manger un deuxième yaourt à la fraise. » Difficile de contester cet argument, n'est-ce pas ? D'autant que la grand-mère ne veut pas entrer en rivalité avec la mère de l'enfant...

Dans la société, la preuve d'autorité est partout. La moindre publicité pour des yaourts 0 % de matières grasses ou des cosmétiques antirides fait systématiquement état de l'étude X ou Y qui valide la promesse marketing.

Usages de la technique

On vient de le voir, les marques raffolent de la preuve d'autorité. Cosmétiques ou aliments allégés invoquent des études scientifiques. Mais tout produit en rayon, pour attirer le chaland, peut inscrire sur son packaging la formule magique : « Vu à la télé ! » Si c'est vu à la télé, c'est que ça doit être bien...

Les journalistes eux-mêmes utilisent beaucoup la preuve d'autorité pour cadrer leur propos : « D'après une étude SOFRES, 18 % des Français souhaitent l'abandon de l'heure d'été. »

Vous non plus, n'hésitez pas à utiliser la preuve d'autorité pour convaincre vos interlocuteurs. En voici un autre exemple.

Dans une agence de publicité, Jérôme travaille avec Sandra sur une nouvelle campagne web. Ils n'ont pas la même approche. Sandra souhaite faire une grande part à l'image, avec un texte tout petit. Jérôme, c'est l'inverse ! Il aime écrire et a déjà des idées de slogans. Pour faire valoir son point de vue, il a un argument imparable :

— Sandra, le directeur de création souhaite le retour à des textes plus impactants, plus visibles.

Comment contester cette preuve d'autorité ? Sandra n'a pas entendu le directeur de création proférer cette phrase, mais après tout, elle a séché la dernière réunion de service. Va donc pour des textes « impactants », si le patron le veut !

Avec vos amis, n'hésitez jamais à justifier vos propos (voir aussi technique de la justification, p. 252) par des arguments béton.

D'ailleurs, vous le faites couramment dans la vie quotidienne, j'en suis sûr :

— John, tu préfères qu'on aille dîner au Roseval ou au Chateaubriand ?
— J'adore le Chateaubriand !
— Je préférerais le Roseval : tu sais qu'ils ont d'excellentes critiques en ce moment ?

Ou encore, sur la route :

— Stéphane, tu ne pourrais pas conduire un peu moins vite ?
— J'adore conduire vite.
— D'après une étude, en roulant à 90 au lieu de 110, tu consommerais 20 % de carburant en moins… D'après une autre étude, de la Sécurité routière cette fois, plus la vitesse est grande, plus l'accident est grave.

Pour en savoir plus

Sachez *calibrer votre preuve d'autorité* en fonction de votre interlocuteur. Je m'explique. Utilisez une preuve d'autorité scientifique (étude américaine, article d'un journal spécialisé, interview d'un expert dans le journal *Le Monde...*) face à quelqu'un de très rationaliste, qui raffole des chiffres et de la rigueur. Votre père continue à fumer quelques cigarettes par jour ? Dites-lui que d'après plusieurs études (citez vos sources de la manière la plus exacte possible !), fumer 3 cigarettes par jour pendant des années est aussi nocif que fumer un demi-paquet.

En revanche, face à quelqu'un de plus frivole, utilisez une preuve d'autorité correspondant à son univers. Vous êtes parent d'une ado de 14 ans ? Apprenez-lui que sur Canal+, on a dit que le string était complètement *has been* si vous ne voulez pas qu'elle arbore une tenue provocante à la plage. Essayez, dans la mesure du possible, de vous rapprocher de l'univers de votre interlocuteur et d'utiliser des sources d'autorité (études pour votre père, télé pour votre fille) qui ont davantage de chances de faire mouche...

Repérer la technique (et éventuellement s'en protéger)

Ne vous laissez pas impressionner par des personnes qui brandissent en toute occasion de prétendues études.

Dites : « De quelle étude parles-tu exactement ? Dans quel journal ? Quels sont les résultats, exactement ? Je crois avoir entendu parler d'une étude contradictoire à ce sujet... »

Dites aussi : « Oh tu sais, ce n'est pas parce qu'on en a parlé à la télé que c'est vrai. Les médias déforment beaucoup de choses. »

Dites enfin : « Le patron a peut-être dit qu'il voulait du rouge sur toutes les collections cette année, mais personnellement je ne l'ai pas entendu. Je te propose donc de tester les collections avec les trois couleurs habituelles qui marchent bien chez les clients : rouge, bleu et vert. »

37

« Déjà 200 000 exemplaires vendus ! »

La technique de la preuve par les autres

Allez, soyez franc ! Ne me dites pas que vous n'êtes pas intrigué et attiré quand vous voyez en librairie un livre présenté bien en évidence avec ce bandeau : « Déjà 200 000 exemplaires vendus ! »

Vous vous dites : « Ah, ça doit être bien, ce bouquin ! »

Le fait que 200 000 personnes aient acheté (mais pas forcément aimé) cet ouvrage n'est en rien une preuve de sa qualité. Pourtant, le livre vous attire irrésistiblement : 200 000, 200 000, 200 000… quel est son titre déjà ? Ah oui, vous en avez entendu parler hier à la télé !

Conquis, vous décidez d'acheter le livre.

C'est prouvé !

Le psychologue canadien Albert Bandura a démontré que des enfants qui ont très peur des chiens se débarrassent d'autant mieux de leur phobie qu'ils voient un film montrant *plusieurs enfants* jouant avec des chiens ! Cette expérience révèle que nous sommes très tôt influencés par ce principe de preuve sociale.

Les rires préenregistrés des vidéos gags ou des séries comiques, les extraits de presse pour la promotion d'un film ou d'un livre, les témoignages d'utilisateurs d'un produit ou service mentionnés dans les publicités (« J'ai utilisé le produit X et ma vie a changé »)... tout cela prend appui sur la preuve sociale et influe sur notre jugement.

La technique en bref

Très utilisée en marketing, la technique de la preuve par les autres sert à valider l'intérêt d'un produit aux yeux du client potentiel.

Par exemple : « 200 000 exemplaires vendus. »
Ou encore : « Lessive X, adoptée par de grandes marques de machines à laver. »
Ou bien même : « Produit Y, élu produit de l'année par les consommateurs. »

La preuve par les autres fonctionne même en dehors de toute technique marketing. Devant un restaurant où de nombreux clients sont attablés, on a tendance à se dire que c'est certainement délicieux ici. En présence d'une personnalité connue, on se sent aussi parfois très attiré : le fait que la personne soit admirée par un large public lui confère un surcroît d'intérêt !

Pourquoi ça marche ?

Si la preuve par les autres fonctionne, c'est que l'être humain est fondamentalement grégaire, voire moutonnier ! Inconsciemment, nous avons tendance à nous fier à l'avis de la masse. Voilà pourquoi « 200 000 exemplaires vendus » est un argument si fort : si 200 000 personnes ont acheté, c'est que c'est un bon livre (du moins, c'est ce que notre cerveau nous dicte).

Au cours de l'Histoire, les peuples se sont sentis soudés à leur souverain lors d'innombrables guerres : les gens étaient fiers d'appartenir à une patrie composée de soldats prêts à mourir pour leur pays. Dans notre inconscient collectif, nous avons toujours envie de suivre « le troupeau ».

Nous préférons naturellement nous joindre aux plus nombreux. Mais suivre la masse n'a pas que des aspects négatifs : pour notre santé, il est important de savoir qu'un médicament a permis de sauver des milliers de personnes grâce à son efficacité ! Cela conditionne positivement notre choix.

Usages de la technique

Les marques utilisent souvent la preuve par les autres et construisent leur réputation en fonction du nombre de clients qui leur font confiance. Mais aujourd'hui, tout un chacun a recours à cette technique. Sur Facebook ou Twitter, avez-vous remarqué combien il est valorisant d'avoir de nombreux « amis » ou « followers » ? Instinctivement, on se dit que quelqu'un qui a 4 800 amis est sûrement quelqu'un d'intéressant, tandis qu'une personne qui n'a que 23 amis ne gagne probablement pas à être connue. Or, c'est peut-être justement *le contraire*. N'empêche, la manipulation mentale *par le nombre* fonctionne...

Pour en savoir plus

À titre personnel, pensez à construire votre réputation. J'ai cité l'exemple de Facebook et Twitter : bien sûr, votre nombre d'amis sur Facebook n'est en rien une indication de votre valeur. N'empêche, les internautes y sont attentifs ! N'hésitez donc pas à agréger, si vous le pouvez, un grand nombre d'amis sur les réseaux sociaux. Je pense notamment à Linkedin, réseau professionnel à la mode. Essayez de vous connecter avec le maximum de personnes pour augmenter votre nombre de « relations » Linkedin : les recruteurs y seront peut-être sensibles. Personnellement, aujourd'hui, à l'heure où j'écris ce livre, j'ai plus de 72 000 followers sur Twitter. J'en suis heureux et fier...

De manière plus artisanale, le bouche-à-oreille fonctionne aussi. Si beaucoup de gens disent de belles choses sur vous, c'est certainement que vous le méritez un peu, non ?

Repérer la technique (et éventuellement s'en protéger)

À présent, revenons à mon exemple premier : 200 000 exemplaires vendus. OK. Mais faut-il que vous soyez le 200 001e ? Non, bien sûr. Méfiez-vous de « la preuve par le nombre » tant prisée des publicitaires. Essayez d'agir différemment de la masse. Vous êtes une personne unique et c'est à vous d'inventer vos choix.

Avez-vous remarqué comment sur l'autoroute, en cas de bouchon, quand quelqu'un change de file, tout le monde a tendance à l'imiter en se disant que cela avancera certainement plus vite par là ? Souvent, tout le monde se trompe en même temps. Vous auriez mieux fait de rester dans votre file et de suivre votre intuition personnelle.

Afin de ne pas être victime de la preuve sociale, laissez parler aussi votre intelligence, posez-vous les bonnes questions : « Est-ce que j'ai réellement envie de cela ? », « Suis-je influencé par les autres ? », « En quoi cet achat (ce comportement) sera-t-il bénéfique pour moi ? »

Recentrez-vous sur vous-même.

38

« Nous sommes moins chers que nos concurrents »

La technique de la comparaison

« Venez chez nous : nous sommes *moins chers que les autres magasins* ! »

Aujourd'hui, de nombreux supermarchés usent et abusent de la publicité comparative, chiffres à l'appui.

« Ici, le pot de Nutella est à 2,18 euros. Chez notre principal concurrent, il est à 2,39 euros. Venez chez nous ! »

Si la comparaison est désormais autorisée dans la publicité, elle est aussi fréquemment utilisée dans les interactions sociales. Son but ? Mettre en valeur une personne ou au contraire la dénigrer, ou encore la stimuler pour qu'elle agisse dans le sens souhaité. La comparaison est un *levier d'influence* très puissant.

C'est prouvé !

Le psychologue américain Robert O'Connor a fait une expérience avec des enfants très timides. Il leur a montré un film où l'on voyait des enfants solitaires sortir de leur isolement et participer à des activités sociales : ces enfants étaient très vite intégrés au groupe. En se comparant aux petits garçons solitaires qui deviennent vite intégrés dans le film, les enfants timides ont très rapidement inversé la tendance de leur nature timide, et certains sont même devenus des meneurs ! On compare des produits, des prix entre eux... mais on se compare nous-mêmes aussi aux autres, parfois pour notre plus grand bénéfice.

La technique en bref

Vous connaissez les comparateurs de prix ? Ils pullulent sur Internet (voyages, hôtels, etc.). Eh bien, dans la vie, c'est la même chose. La technique de la comparaison vise à comparer votre interlocuteur à d'autres afin d'influencer ses actions.

Une mère, à son fils :

— Prends exemple sur ton frère, lui au moins fait ses devoirs sans rechigner.

Une femme, à son mari :

— Marc, le mari d'Odile, l'aide énormément pour les tâches ménagères. Tu pourrais t'inspirer un peu de lui !

Entre amis, en route pour un week-end à la campagne :

— La voiture d'Olivier est tellement rapide. Elle monte à combien, la tienne ? » (Il y a des chances pour que le conducteur accélère !)

Pourquoi ça marche ?

Si vous êtes la cible de la comparaison (« Tu me fais penser à ton frère sauf que lui, au moins, il travaille »), vous êtes mis en concurrence. Vous perdez de votre singularité puisqu'on vous situe par rapport aux qualités ou aux défauts supposés d'un autre individu.

Le simple fait d'être comparé éveille et stimule notre ego toujours friand de compétition et de comparaison. « Je sais que je suis mieux que lui. » « Bastien sort peut-être avec plein de filles, mais moi au moins j'ai réussi à en garder une. » « Jean-François est si intelligent : j'aimerais tant être comme lui. »

La comparaison nous excite, nous rassure aussi. (« Quand je me considère, je me désole. Quand je me compare, je me rassure », phrase attribuée à Talleyrand.)

C'est un profond ressort de l'être humain, animal social constamment confronté à ses congénères.

Usages de la technique

La comparaison est utilisée en publicité, dans les interactions sociales, et même dans notre for intérieur quand nous nous comparons à une autre personne.

Dans le domaine professionnel, la technique de la comparaison (et du classement) est un grand classique. Chez McDonald's, l'employé du mois est mis en avant : il est plus performant que ses collègues.

En réalité, de très nombreuses entreprises comparent leurs salariés entre eux. C'est une façon de mesurer la productivité globale mais aussi de maintenir la motivation des équipes.

« Cette semaine, Jennifer a été celle qui a vendu le plus de contrats d'assurance par téléphone. Bravo à Jennifer ! », peut-on lire un matin en arrivant dans l'open space. Ainsi félicitée, Jennifer est réalité *comparée* à ses autres camarades : si elle est devant, tous les autres sont derrière et ont intérêt à faire aussi bien qu'elle !

Pour en savoir plus

La comparaison peut être explicite :

« Je trouve que tu fais moins d'effort qu'Alex » ou « L'iPhone est moins cher que le HTC One. »

Elle peut aussi être implicite :

« Tu sais, Alex se défonce pour notre projet ! » ou : « Notre iPhone est le téléphone le plus vendu dans le monde. »

À vous de choisir la formulation que vous préférez ! Une comparaison explicite est parfois assez violente : « Tu es moins jolie que Céline » est moins agréable à entendre que : « C'est vrai, ces filles sont toutes tes pétasses, mais toi tu as un charme et une douceur que toutes pourraient t'envier. »

Puisque nous sommes constamment évalués, jaugés et comparés aux autres, essayons d'user de la comparaison subtilement... pour flatter notre interlocuteur (voir technique p. 154) et, si possible, éviter de le descendre en flammes (voir technique de la persécution, p. 127).

Repérer la technique (et éventuellement s'en protéger)

Pour repérer la technique il suffit de tendre l'oreille. Votre interlocuteur tente-t-il d'étayer ses propos en vous comparant à une autre personne ? Si c'est le cas, faites-lui clairement comprendre que vous voyez très bien où il veut en venir. Vous n'avez pas besoin d'être comparé ! Vous savez qui vous êtes (et ce que vous avez à faire).

Là où la technique de la comparaison est parfois la plus nocive, c'est quand on se l'applique... à soi-même. Ne vous comparez pas systématiquement aux autres (en bien, ou en mal). Soyez conscient de vos forces, de vos qualités, comme de vos défauts ou de vos faiblesses. Chaque personne est différente, singulière. Et comme le dit le proverbe : « Comparaison n'est pas raison. »

Se comparer systématiquement à autrui peut nous paralyser (ou au contraire nous rassurer à tort sur nos qualités). Laissez la comparaison aux autres : s'ils vous comparent pour tenter de vous influencer, restez ferme. « Lui, c'est lui. Et moi, c'est moi », comme disait le premier ministre Laurent Fabius, il y a quelques décennies, en parlant du président Mitterrand.

39

« Quelqu'un m'a dit… »

La technique de la rumeur

Les rumeurs ont la peau dure ! Aux États-Unis, certains Américains ont longtemps fait courir le bruit que Barack Obama était musulman ou qu'il n'était pas né aux États-Unis, ce qui invaliderait son élection comme président de ce pays !

Dans un registre très différent, on a dit aussi qu'il y avait des mygales dans les yuccas ! Rumeur, encore rumeur…

Vous vous souvenez peut-être de cet épisode célèbre de *La Petite Maison dans la prairie* où la méchante Mme Oleson décide de lancer son propre journal dans son village de Walnut Grove. Elle répand à longueur de page les rumeurs les plus folles ! Une des rumeurs commence ainsi : « Nous apprenons de source sûre que… » La communauté de Walnut Grove s'est évidemment précipitée sur le journal, avide d'en savoir plus…

C'est prouvé !

En 2003, le psychologue Ian Skurnik et plusieurs de ses collègues ont demandé à des retraités d'assister à une présentation avec un jeu « vrai ou faux » sur des questions de santé – par exemple, « L'aspirine détruit l'émail des dents » (vrai) ou « Les chips de maïs contiennent deux fois plus de gras que les chips de pommes de terre » (faux). Quelques jours plus tard, ils ont interrogé les retraités sur ce qu'ils avaient appris.

Les chercheurs ont remarqué que plus un avertissement était présenté comme faux, plus les participants étaient susceptibles plus tard de croire que c'était vrai.

Pour Norbert Schwarz, psychologue à l'université du Michigan, nous déterminons la véracité d'une déclaration donnée, selon qu'elle nous semble avant tout *familière*. Si vous en avez *entendu parler avant*, ça doit donc être vrai.

Pour comprendre comment les rumeurs fonctionnent, il faut considérer deux caractéristiques fondamentales de la nature humaine. Premièrement, nous sommes des êtres sociaux. Le célèbre vers du poète britannique John Donne « Aucun homme n'est une île », l'illustre métaphoriquement. Deuxièmement, les humains ont besoin de sens. Nous sommes fondamentalement des êtres sociaux et nous avons ce besoin irrépressible de donner du sens au monde. Pour Nicholas DiFonzo, spécialiste de la rumeur : « La rumeur est une activité de reconstruction collective de sens. Elle peut en effet être le principal moyen par lequel nous donnons un sens au monde, ensemble. »

La technique en bref

On peut définir la rumeur comme une information non vérifiée qui circule généralement de bouche à oreille (les fameux « bruits qui courent »). C'est par les rumeurs que les erreurs journalistiques sont créées, elles se basent sur des on-dit, ce qui permet au manipulateur de se dédouaner de toutes responsabilités si la rumeur est fausse.

Pourquoi ça marche ?

La rumeur agit comme un poison et se propage, qu'on l'accrédite ou la discrédite. Chaque individu est alors plus ou moins libre d'y croire, mais la force de la rumeur vient toujours du fait que l'on en parle. Elle est très utilisée en politique, pour déstabiliser l'adversaire : des rumeurs sont créées, qu'on laisse ensuite se propager et faire leur œuvre dévastatrice...

Usages de la technique

« Un ami m'a dit », « Les professionnels pensent »... La rumeur peut revêtir divers aspects. À vous de choisir avec qui et pour quelle raison vous souhaitez utiliser la rumeur. La rumeur peut être valorisante, par exemple pour un employé qui rencontre un responsable qui lui dit : « On m'a affirmé que vous étiez particulièrement compétent pour ce nouveau poste. Félicitations je vous mets à l'essai. »

Pour en savoir plus

Au choix, la rumeur peut être positive et servir vos propos : « J'ai entendu dire que cet endroit était super-intéressant, on devrait y aller ! »

Ou bien desservir un propos : « Il paraît qu'il y a eu pas mal de problèmes avec ce produit... mais c'est à toi de voir ! »

Bien sûr, vous pourriez aussi colporter une rumeur négative, mais est-ce vraiment bon pour le sujet concerné ?

Repérer la technique (et éventuellement s'en protéger)

« Qui t'a dit ça ? », « Sur quoi repose cette rumeur ? »

Votre interlocuteur est peut-être lui-même victime de cette rumeur.

C'est encore un raccourci simple utilisé en manipulation. Ne pas écouter les rumeurs et s'adresser directement aux faits ou aux gens concernés, en vous fiant à votre propre opinion : voilà comment vous vous protégerez de la rumeur.

40

L'opium du peuple

La technique de la nouvelle croyance

Souvenez-vous de l'année 1999 et des folles craintes qui l'ont accompagnée. Il y avait tout d'abord une ancienne prédiction du prophète Nostradamus pour qui l'année mille neuf cent nonante-neuf serait celle de la fin du monde. Puis le célèbre couturier Paco Rabanne avait voulu nous persuader qu'en août 1999 la station Mir nous tomberait sur la tête. Et enfin, de nombreux ingénieurs ont cru à un immense bug informatique au moment du passage à l'an 2000. Rien de tout cela ne s'est produit fort heureusement. Nous avons tout simplement survécu à des... croyances. Si Paco Rabanne s'en est bien sorti en vendant ses livres annonciateurs de l'apocalypse, ainsi que les boutiques informatiques en distribuant leur patch anti-bug, il faut s'imaginer que des milliers de gens à travers la planète étaient persuadés que le monde s'écroulerait. Le prix à payer pour eux : une angoisse terrible en attendant l'événement, le renoncement à leurs rêves, le ridicule auprès de leurs proches, etc. Comment se sont-ils débarrassés de cette croyance angoissante ? par la preuve matérielle. Oui, au 1er janvier 2000, nous étions tous là. C'était irréfutable. Et une croyance en remplace une autre. 2012 devait aussi être la fin du monde d'après le calendrier maya. Ce 21 décembre 2012 dernier, de nombreuses personnes ont dépensé des fortunes pour bâtir des bunkers, acheter des aliments déshydratés et survivre à l'apocalypse... Ces événements illustrent le pouvoir de nos croyances et comment elles (et ceux qui les répandent) nous manipulent...

C'est prouvé !

Notre cerveau est extraordinaire et, malheureusement, hautement manipulable. Sous certaines conditions, on peut lui faire croire que vous êtes en train de manger un citron alors que vous croquez une pomme. En 2012, une équipe universitaire d'Ultrecht, aux Pays-Bas, a réussi à fabriquer de faux souvenirs chez 200 soldats néerlandais qui rentraient d'Afghanistan. Alors qu'ils croyaient participer à une expérience sur le stress, on leur a créé de faux souvenirs et fait croire que leur camp militaire avait été attaqué par des terroristes lors de leur séjour en Afghanistan. Six mois plus tard, près de 30 % d'entre eux croyaient à cette version alors qu'elle était entièrement fabriquée. Vertigineux, n'est-ce pas ?

La technique en bref

Nous possédons tous des croyances diverses et variées. La technique de la nouvelle croyance consiste à remplacer une ancienne croyance irrationnelle, inhibitrice ou obsolète par une nouvelle croyance qui nous fait grandir, nous fait utiliser nos talents et nous rend plus heureux.

Il peut s'agir d'une ancienne croyance sur notre propre valeur – « Je suis trop timide », « Je ne parviendrai pas reprendre mes études », « Je ne trouverai jamais l'amour » – par une croyance nouvelle et positive : « Je suis digne d'être aimé(e) », « Je peux exprimer ce que je ressens sans crainte », « Je vais prendre du plaisir à réussir de nouvelles études ».

Il peut aussi s'agir de modifier nos croyances qui sont des représentations du monde et qui nous empêchent de « décoller » dans la vie ou de vivre plus joyeusement : « Le monde est hostile », « Les gens sont fous », « On ne peut faire confiance à personne », à remplacer par : « Le monde a de belles choses à offrir », « Il existe des personnes drôlement généreuses », « Il y a en chaque être humain un besoin d'amour », etc.

Pourquoi ça marche ?

Nous avons des bénéfices à tirer de nos vieilles croyances – des habitudes, des rituels, une personnalité cohérente – si négatives soit-elles, mais le bénéfice d'une nouvelle croyance est tellement fort que notre sens de l'adaptabilité cède et accepte le changement.

Comme nous héritons nos croyances religieuses de notre famille, nous héritons aussi nos croyances psychologiques de notre enfance et de notre adolescence, à travers notre éducation et nos expériences bonnes et moins bonnes.

Curieusement, même quand une croyance se révèle fausse ou négative pour nous, nous n'y renonçons pas toujours (pour rester cohérent, maintenir notre identité en place et satisfaire un besoin profond). C'est ce que les psychologues appellent la « dissonance cognitive ».

Votre mental sait que sa croyance est mise à mal et il tente de résoudre le problème : soit en maintenant sa croyance envers et contre tout, soit en la changeant. Par exemple, une jeune fille anorexique qui se croit grosse alors qu'elle n'a plus que la peau sur les os est pour l'entourage « irrationnelle ». Un jour pourtant, cette croyance – « Je suis grosse » – se modifie et la jeune fille retrouve un rapport plus apaisé avec elle-même, sa famille et le monde.

Habituellement, les gens changent leurs croyances en faisant une thérapie qui les bouleverse, en rencontrant une personne qui les pousse dans leurs retranchements, en lisant un livre qui les bouleverse ou encore par une remise en question personnelle.

Usages de la technique

La publicité, les entreprises répondent à vos besoins... en fonction de vos croyances. D'autres encore créent des croyances de toutes pièces pour vous faire dépenser de l'argent : la scientologie, par exemple, est une « croyance » qui n'a pour seul but que le pouvoir et l'exploitation des gogos !

Toute publicité diffuse de « nouvelles croyances » dans l'esprit des téléspectateurs : le coenzyme Q10 est bon pour la santé... Hier encore, on ne jurait que par le bifidus actif ! Et demain ? Dans la mode aussi, le système fonctionne sur la croyance : croire que les couleurs de l'année sont le bleu, l'orange et le vert... croire qu'il faut posséder le nouveau sac Prada ou tout autre bijou tendance !

Pour en savoir plus

Il arrive parfois lors d'une conversation qu'une personne vous dise quelque chose du genre : « De toute façon, ça ne sert à rien, ça ne marche jamais avec moi » ou : « Les femmes ne m'aiment pas, je le sais, j'ai essuyé de multiples refus tu sais… » La PNL permet justement de se débarrasser des croyances limitantes !

a. Déterminer une croyance qui vous limite.

Par exemple, « Je n'arriverai jamais à conduire, c'est trop stressant, trop dangereux ! »

b. Retrouver la ou les expériences qui sont à l'origine de cette croyance limitante.

Peut-être est-ce dû au fait qu'enfant, votre grand frère vous rabaissait quand il tentait de vous apprendre à conduire sur le parking ? Peut être avez vous vécu un grave accident de la circulation qui vous fait craindre la conduite ?

c. Identifiez ce que vous apporte cette croyance (ce qu'elle renforce chez vous, les émotions qui y sont liées) ainsi que les raisons qui vous amènent à y recourir : serait-il possible de vous en détacher ?

Il faut revivre la ou les expériences qui sont à l'origine de cette croyance. Pour cela, il vous faut vous installer dans un endroit au calme, puis fermer les yeux pour retourner dans le souvenir. Vous devez réinterpréter de façon différente votre vécu, de manière positive et à l'aune de votre maturité.

Pour finir, il vous faut remplacer cette croyance limitante par une *croyance aidante* afin de ne pas laisser de vide s'installer dans votre esprit.

Par exemple : « Pour moi c'est impossible de conduire » va devenir : « Étant donné que tous les autres y arrivent, j'ai toutes les chances de réussir moi aussi. »

Repérer la technique (et éventuellement s'en protéger)

Pensez à la réaction que vous avez eue en découvrant qu'une personne de votre entourage (votre petit copain, votre meilleure amie, votre associé, etc.) vous avait trompé alors que vous aviez une entière confiance en elle. Ce jour-là, vous êtes tombé de haut et avez eu du mal à vous en remettre. Votre croyance en lui ou en elle a été mise à mal et vous en avez terriblement souffert.

Croire « trop » en une personne se révèle parfois désastreux. Les nouvelles croyances nous permettent de ne pas être dans l'excès et rétablissent l'équilibre, dans un souci d'objectivité, qu'il s'agisse d'une personne, d'une passion ou de vous-même. Croire en l'autre est naturel. Croire de façon excessive ou absolue en l'autre peut être décevant.

41

« T'es cap ou t'es pas cap ? »

La technique du défi

Vous êtes à la piscine. Le plongeoir fait 9 mètres de haut. Oh, ce n'est pas si haut ! Vous, par exemple, vous pourriez facilement sauter.

Soudain, un de vos amis s'écrie :

— Tu penses pouvoir plonger de là-haut ? Eh bien, vas-y, qu'est-ce que t'attends ? Je suis sûr que tu n'en es pas capable. Tu dis ça pour frimer, etc.

Piqué au vif, vous partez vers le plongeoir. De là-haut, ça paraît encore plus haut. Maintenant, vous ne pouvez plus redescendre, vous seriez ridicule. Surtout face à votre ami. Il se moquerait de vous ! Allez, vous sautez…

Ouf.

Tout s'est bien passé, vous êtes dans l'eau. Mais vous avez eu une sacrée peur.

Et si vous aviez été manipulé ?

C'est prouvé !

Des associations comme les Alcooliques anonymes (AA) ont prouvé la force et la pertinence du défi. Il n'est pas toujours facile d'arrêter de boire quand on est seul. Mais être mis au défi d'arrêter de boire, en présence d'autres alcooliques et abstinents, comme chez les AA, est une démarche très féconde.

La technique en bref

La technique est simple : il suffit de provoquer l'autre, de lui lancer un défi pour lui donner envie de s'exécuter, de passer à l'acte.

La technique est parfois malintentionnée (pour provoquer inutilement, pour se divertir aux dépens de l'autre). Elle peut avoir aussi des ressorts plus positifs : pour donner envie à quelqu'un de se dépasser, pour lui demander de prouver son amour, etc.

De manière générale, le défi est quelque chose de très beau et de très puissant. On peut se mettre au défi tout seul (de faire 50 pompes tous les jours pendant un mois), à deux (« on nage jusqu'à la dernière bouée ? ») ou en groupe, comme cela se pratique chez les AA ou en entreprise (les fameux challenges à relever).

Pourquoi ça marche ?

Dès l'enfance, nous nous lançons des défis.

« T'es pas cap de grimper à l'arbre ! »
« T'es pas cap d'aller parler à cette fille ! »

À l'âge adulte, il peut nous arriver encore de nous défier : au tennis, aux échecs, et dans la vie professionnelle, les défis ne manquent pas.

Votre supérieur :
— Bastien, je vous confie la refonte totale de notre système d'information. Mais ça m'étonnerait que vous arriviez à boucler tout ça en 6 mois !

Mine de rien, votre patron vient de vous défier ! Vous mettez les bouchées doubles et faites du mieux possible pour offrir à votre entreprise un système informatique flambant neuf en moins de six mois.

Oui, le défi est un puissant moteur qui titille notre ego : ce peut être une technique de manipulation « positive » qui nous pousse à nous dépasser. Parfois, ce peut être aussi le levier d'une manipulation qui peut très mal finir :

— T'es pas cap de dépasser cette voiture dans un virage !

Le défi, la provocation suscitent des émotions puissantes, nous excitent et nous font parfois perdre la raison. Attention à ne pas lancer des défis idiots à vos amis ! Sur le plan cérébral et hormonal, l'excitation d'un défi fait monter le taux d'adrénaline. Notre énergie peut en être décuplée... et notre vigilance parfois altérée !

Usages de la technique

Utilisez le défi dans des situations particulières : au travail, pour motiver vos collaborateurs ; en famille, pour donner envie à vos enfants de faire quelque chose plus rapidement, sur le mode du jeu :

— Je parie que t'es pas cap de finir de manger, de te brosser les dents et d'aller au lit en moins d'un quart d'heure.

En entreprise, on appelle ça aussi des challenges. Et ça marche, car les collaborateurs (ou les enfants) aiment relever des défis « positifs ».

Le défi peut être une belle technique de manipulation, utilisez-le à bon escient.

Pour en savoir plus

Bien entendu, la technique du défi ne marche pas à chaque situation, pour chaque personne. Plus la personne est orgueilleuse et plus elle aura tendance à vouloir relever des défis... Avec certains collaborateurs, si vous êtes chef de service, le défi ne marchera pas. Il faudra peut-être adopter des techniques de manipulation plus contraignantes ou plus retorses.

Repérer la technique (et éventuellement s'en protéger)

Rien ne vous oblige à relever un défi, surtout s'il est idiot. Oubliez votre orgueil. Rien ne vous oblige à sauter de 9 mètres de haut ou à finir le dossier Durand en une semaine si c'est injouable. Face à la personne qui vous défie, ne mordez pas à l'hameçon.

N'ayez pas peur non plus d'être dévalorisé si vous ne relevez pas le défi. Faites valoir vos arguments. Et dites par exemple :

— Patron, vous savez très bien que le dossier Durand représente au moins quinze jours de boulot. Je vais travailler le plus rapidement possible pour finir dans les quinze jours.

À votre ami qui vous défie de sauter du haut du plongeoir, dites :

— Tu as raison, c'est vraiment haut et je ne sauterai pas de là-haut. Mais toi, vas-y, si tu veux !

42

« Raconte-moi une histoire »

La technique du storytelling

Voici deux énoncés. Lequel vous touche le plus ?

a. La petite Rokia, 7 ans, vit au Mali. Elle souffre d'une terrible malnutrition. S'il vous plaît, donnez pour que Rokia puisse manger à sa faim, se soigner et grandir dans de bonnes conditions. Sa famille serait tellement heureuse !

b. Au Malawi, 3 millions d'enfants souffrent de malnutrition. En Zambie voisine, la sécheresse a fait baisser la production de maïs d'environ 42 %. En Angola, 4 millions d'habitants ont été déplacés. En Éthiopie, plus de 11 millions d'habitants ont besoin d'aide alimentaire.

Il y a de fortes chances pour que l'histoire de la petite Rokia vous touche davantage que ces froides statistiques qui affectent pourtant des millions de personnes, et non une seule petite fille malienne !

Vous venez d'expérimenter le fabuleux pouvoir d'influence du *storytelling* (en français : le récit, ou le fait de raconter une histoire).

C'est prouvé !

Des chercheurs américains de l'université de Pennsylvanie (Small, Loewenstein et Slovic) ont révélé, au travers de l'exemple de la petite Rokia, l'extraordinaire pouvoir du récit. Pour ces chercheurs, il est toujours plus efficace d'en appeler *à l'émotion* (au travers d'un récit) qu'à la froide raison (au travers d'informations et de statistiques, par exemple). Dans le cas des enfants africains souffrant de malnutrition, mieux vaut *une victime identifiable* que des millions de victimes statistiques.

Par ailleurs, pour Peter Guber, écrivain, les histoires fonctionnent comme des chevaux de Troie. Le public accepte l'histoire parce que, pour tout être humain, une bonne histoire est comme un cadeau. Mais l'histoire est en fait une astuce pour introduire un message dans la citadelle fortifiée de l'esprit humain.

La technique en bref

Pour influencer une personne ou même un groupe, faites confiance au pouvoir de l'anecdote, de l'histoire, du récit.

Comme les associations caritatives, les hommes politiques raffolent du storytelling. Pendant la campagne présidentielle de 2007, Nicolas Sarkozy et Ségolène Royal se sont davantage affrontés sur le terrain de leurs histoires personnelles que sur celui des idées. Rappelez-vous Ségolène et ses 4 enfants, Ségolène qui triomphe des hommes du Parti socialiste, Ségolène et son enfance difficile avec un père autoritaire... Souvenez-vous de Nicolas Sarkozy posant à cheval en Camargue, de Nicolas Sarkzozy et Cécilia en couple glamour et ambitieux. Il s'agit là souvent d'images, c'est vrai (cf. technique p. 52). Mais mises bout à bout, ces images composent un récit.

Dans les interactions personnelles, il est parfois utile de recourir au détour d'une histoire pour convaincre.

Vous voulez vendre des serrures renforcées aux habitants d'un immeuble parisien ? Vous pouvez présenter la gamme, les tarifs. Mais vous pouvez aussi commencer comme ça :

— Chère madame, je vais vous raconter une histoire. Dans l'immeuble d'à côté, l'année dernière, j'ai équipé un vieux monsieur avec mes serrures ultra-sécurisées. Eh bien, durant l'été, je crois que c'était aux alentours du 15 août quand tout le monde est en vacances, cet immeuble a subi un véritable assaut ! Des cambrioleurs – je crois qu'ils venaient de l'Est – ont littéralement crocheté toutes les serrures à chaque étage ! Vous savez ce qui est arrivé ? La seule serrure qui a résisté, c'était celle de mon client. À la rentrée de septembre, il m'a même appelé pour me remercier !

Personnage, action, temporalité... tout y est ! Le héros du récit, bien sûr, ce n'est pas le vieux monsieur... mais la vaillante serrure qui a résisté au cambrioleur.

Si vous êtes commercial, un récit bien troussé est parfois plus efficace qu'une froide description.

Pourquoi ça marche ?

Nous aimons tous les récits, les contes, les histoires. Tout petits, nous demandions à nos parents de nous raconter une histoire pour nous endormir. Devenus grands, nous raffolons encore des histoires : la fréquentation des cinémas n'a jamais été aussi importante et de très nombreux Français lisent des romans... surtout au moment de se coucher.

La puissance évocatrice des histoires est très grande. Celles-ci font appel à des ressorts émotionnels, à notre besoin de récit. Comme les images, les récits touchent en profondeur les êtres. La Bible, les contes de fées sont des histoires. Les paraboles (il y en a beaucoup dans la Bible) sont des histoires qui délivrent un message : c'est parce que l'histoire est belle qu'on retient mieux le message, un peu comme dans les fables ! Qui a lu *Le Corbeau et le Renard* se souviendra, sa vie durant, que « tout flatteur vit aux dépens de celui qui l'écoute ».

Quand votre interlocuteur est plongé dans cette attitude régressive de celui qui écoute une histoire, son cortex cérébral accepte beaucoup mieux les arguments et le message que vous voulez véhiculer. Mieux, en tout cas, que si vous lui exposiez les faits froidement ! Rappelez-vous l'histoire de la petite Rokia, tellement plus touchante que ces millions de morts anonymes au Malawi ou ailleurs.

Par ailleurs, Jeremy Hsu, journaliste scientifique, a pu établir selon les recherches existantes que « les histoires personnelles et les ragots constituent 65 % de nos conversations ». Chaque fois que nous entendons une histoire, nous voulons la mettre en relation avec l'une de nos expériences personnelles. C'est pourquoi les métaphores fonctionnent si bien avec nous. Pendant que nous sommes occupés à rechercher une expérience similaire dans nos cerveaux, nous activons une partie appelée « insula », qui nous aide à rapporter à cette même expérience de la douleur, de la joie, du dégoût ou une autre émotion.

Usages de la technique

On l'a vu, les hommes politiques raffolent du storytelling. Une fois élus grâce à l'histoire enjolivée ou mythifiée de leur vie, ils font encore appel à des histoires pour emporter l'adhésion du public.

Un homme politique de droite opposé à la hausse des impôts pourra commencer son intervention à la télévision par l'histoire suivante :

— Dans ma circonscription, un jeune chef d'entreprise avait embauché une vingtaine de personnes. Eh bien, il a été obligé de licencier une mère de famille nombreuse à cause de la hausse des taxes que vient de décider le gouvernement !

Les marques, quant à elles, font du storytelling en permanence. Les publicités à la télé sont chacune de petites histoires, avec un mini-scénario. Quant à Apple, la marque a eu les honneurs du cinéma avec un film entièrement consacré à l'histoire de Steve Jobs, son fondateur.

Et vous, dans la vie quotidienne ?

Si vous voulez convaincre vos enfants de vous accompagner en forêt cueillir des champignons, racontez-leur l'histoire de ce monsieur qui a trouvé une clairière très belle où il y avait d'énormes cèpes délicieux :

— Les enfants, je vais vous raconter l'histoire du monsieur qui habite à l'autre bout du village. Un jour, il était parti tout seul en forêt. Il marcha très longtemps jusqu'à arriver à une très belle clairière. Et là, que vit-il ?

Etc.

Si vous voulez convaincre votre patron de vous confier une mission importante, racontez-lui comment vous vous êtes bien débrouillé chez votre ancien employeur à l'occasion d'un challenge...

Si vous voulez séduire cette jeune fille, revivez avec elle la magie de votre rencontre. Racontez-lui les circonstances précises de votre rencontre, dites-lui comment vous vous sentiez ce jour-là, ce que vous aviez fait avant, etc. Elle sera peut-être intéressée par votre histoire... et flattée d'en être l'héroïne.

N'hésitez jamais *à raconter*.

Pour en savoir plus

Si vous avez besoin de convaincre des gens d'adhérer à vos idées ou projets, ou pour éviter de donner un conseil trop direct, illustrez plutôt vos propos en vous référant à l'histoire mondiale, à l'histoire de France ou, pourquoi pas, à des anecdotes issues de votre passé. Par exemple : « Jean, j'ai compris que tu avais beaucoup de mal à affronter cette période difficile de ta vie. Tu sais, je me souviens d'un ami de fac, Pierre, qui avait exactement ton âge, on vivait en colocation dans un immeuble immonde de Dijon... » Dans un autre registre, vous pouvez aussi utiliser les histoires des films ou des séries qui vous ont marqué. Enfin, vous pouvez vous servir de ce que les médias annoncent : « Hier, à la télé, ils racontaient cette histoire incroyable... »

Selon Hasson, chercheur à Princeton, raconter une histoire est la meilleure façon de « planter » des idées dans l'esprit des autres.

Repérer la technique (et éventuellement s'en protéger)

Si votre interlocuteur illustre ses propos par une anecdote, demandez-vous en quoi son histoire cherche à vous influencer. Et répliquez par exemple : « Cette histoire est belle (édifiante, impressionnante, etc.) mais elle ne me concerne pas. Après tout, ce n'est qu'une histoire... »

Lorsque l'on écoute les hommes politiques et leurs belles histoires qui nous donnent envie de croire en un avenir meilleur ou qui – enfin ! – offrent une réponse parfaite aux problèmes de notre époque, méfions-nous : il peut s'agir de mensonges enrobés dans un joli papier bonbon. En voici un exemple.

Alors qu'il était candidat à l'élection présidentielle américaine, Ronald Reagan a dupé des millions d'Américains en inventant l'histoire d'une chômeuse de Chicago qui se serait enrichie en créant 80 noms d'emprunt, 30 adresses postales, 12 cartes de Sécurité sociale et 4 assurances-vie de maris décédés. Cette femme, qu'il appelait la *Welfare Queen* (la « Reine de l'Assistance »), aurait eu un revenu de 150 000 dollars (115 000 euros) et aurait roulé en Cadillac. Bien évidemment, cette histoire forgée de toutes pièces a scandalisé les Américains, et Reagan a réussi à imposer ses idées conservatrices en opposant « ceux qui travaillent » et « ceux qui profitent » (les chômeurs, les immigrés, les malades). Un thème qui continue, on dirait, de faire des émules...

43

« Dis-moi tout ! »

La technique de l'écoute

« Ce que j'aime chez toi c'est que tu prends le temps de m'écouter. » Dans cette phrase qui fait plaisir se cache quelque chose de puissant à savoir : la considération de l'interlocuteur qui vous remercie de l'écouter.

Dans un monde où tout va vite et où tout le monde court après le temps, l'écoute est en effet un don précieux.

C'est prouvé !

Daniel Ames, Lily Benjamin Maissen, Joel Brockner, de l'université de Columbia, ont réalisé une étude portant sur 274 étudiants sur les qualités d'écoute au travail en tant que technique d'influence et de persuasion. Ils ont constaté qu'écouter les gens était positivement lié à l'influence et que les personnes douées d'écoute étaient perçues comme ouvertes et agréables.

La technique en bref

Nous aimons parler de nous à qui veut l'entendre et il n'y a qu'à voir le nombre hallucinant de blogs personnels sur Internet pour s'en rendre compte. C'est d'ailleurs ce qui pousse certains manipulateurs à utiliser cette méthode pour rendre malléables leurs interlocuteurs.

L'objectif de cette technique est de chercher à s'intéresser au maximum à l'interlocuteur afin qu'il puisse parler de sa vie privée, se confier...

Pourquoi ça marche ?

Cette technique est redoutable puisqu'elle permet de rendre sympathique la personne qui s'intéresse à la vie d'un autre individu.

Chaque jour, nous avons de nombreuses conversations avec nos semblables, mais peu d'entre elles ont pour objet notre vie privée. Le fait d'avoir d'une oreille attentive à nos bonheurs et malheurs personnels crée une empathie particulière.

Usages de la technique

En général, les meilleurs amis sont ceux qui peuvent parler de tout et surtout être capables d'écouter avec attention les malheurs. « Merci d'être là, mon cher ami, grâce à toi je retrouve le sourire. »

Combien de coiffeuses reçoivent des pourboires après une coupe de cheveux parce qu'elles ont écouté attentivement les malheurs de leurs clientes ?

L'écoute contribue à bâtir des relations solides, à résoudre des problèmes, à gérer le stress et à obtenir des précisions. Au travail, l'écoute active permet de commettre moins d'erreurs et de gagner du temps. À la maison, il contribue à rendre les enfants autonomes, et réduit drastiquement la frustration des uns et des autres.

Réservez, même quand vous êtes occupé, de la disponibilité et de l'attention pour les gens que vous aimez. Consacrez-leur un peu de temps au cours duquel ils pourront se raconter et se confier. Ce peut être à l'occasion d'un petit déjeuner ou d'un café.

Pour en savoir plus

Apprenez à écouter en 6 étapes :

a. Faites face à votre interlocuteur et soyez curieux. Mettez de côté vos affaires, vos dossiers, votre téléphone portable (mettez-le sur vibreur par exemple) et regardez votre interlocuteur même s'il ne vous regarde pas. Développez un intérêt et même une curiosité pour ce que l'autre a à vous dire.

b. Soyez attentif, patient et détendu. Ne vous laissez pas distraire par vos propres pensées, vos sentiments, vos préjugés ou les tics de la personne que vous écoutez.

c. Écoutez sans juger l'autre personne et sans critiquer mentalement les choses qu'elle vous dit. Si ce qu'elle vous dit vous interpelle, ne vous empressez pas de donner votre avis et ne la coupez pas. Il est important de s'abstenir de proposer des solutions toutes faites (tendance que nous avons tous naturellement).

d. Concentrez-vous sur ce qui est dit, même si cela vous ennuie. Si vos pensées commencent à errer, recentrez-vous sur la personne. Acceptez les blancs dans la conversation en tentant d'y trouver même un certain confort. Les blancs servent à la personne à rebondir.

e. Essayez de ressentir les émotions de votre interlocuteur. Si vous êtes empathique durant la conversation, vous allez éprouver ses émotions, la tristesse quand elle exprime la tristesse, le plaisir quand elle exprime le plaisir, la colère quand elle décrit une situation conflictuelle.

f. Commentez de temps en temps : « Vous devez être heureux ! », « Quelle épreuve pour vous ! » Il s'agit de donner une preuve que vous êtes à l'écoute et attentif à ses propos.

Repérer la technique (et éventuellement s'en protéger)

Je suis sûr que vous avez déjà utilisé cette technique de manipulation sans forcément vous en rendre compte. Amusez-vous à l'utiliser avec vos proches pour en observer l'impact...

Il est particulièrement surprenant, et parfois drôle, de voir comment les hommes et les femmes politiques se font régulièrement piéger par les journalistes qui sont de redoutables manipulateurs grâce à leur capacité d'écoute. En profitant de ce besoin humain de se confier, les journalistes parviennent à soutirer des informations précieuses, y compris les petits et grands secrets. Au grand dam de ces politiciens... qui retomberont pourtant dans le panneau à la prochaine occasion.

44

« Fuis-moi, je te suis... »

La technique de l'indifférence

Souvent, lorsqu'une personne de notre entourage se mure dans le silence ou devient taciturne, quelle qu'en soit la raison, cela crée une sorte de malaise et l'on n'a envie que d'une chose, c'est que la personne communique, pour que tout redevienne comme avant. La personne indifférente devient irrésistible : a-t-elle quelque chose à cacher ? (vous voulez le découvrir), êtes-vous responsable de son comportement ? (vous préférez le savoir). Peut-être vous juge-t-elle indigne de son attention... (et si vous lui prouviez que vous méritez mieux que son indifférence ?).

Bien dosée, et à condition de ne pas en faire votre marque de fabrique (ce qui vous ferait passer pour un sociopathe), l'indifférence peut attirer l'attention sur vous et vous rendre plus... attractif.

C'est prouvé !

Dans les années 1940, le psychologue Abraham Maslow a déterminé une liste de besoins chez l'être humain. Selon lui, nous avons des besoins physiologiques : faim, soif, sexualité, etc. ; un besoin de sécurité : pour se protéger contre les différents dangers qui nous menacent ; un besoin d'appartenance : pour se sentir accepté par les groupes dans lesquels on vit (famille, travail, association...) ; un besoin d'estime : pour être reconnu en tant qu'entité propre au sein des groupes auxquels on appartient ; un besoin d'accomplissement de soi : pour s'épanouir.

Notre sensibilité à l'indifférence prend sa source dans notre besoin d'estime. Tout le monde a besoin d'estime, car on ne peut vivre en se sentant méprisé. L'estime est double, il y a l'estime de soi et l'estime reçue des autres. Nous avons besoin de l'estime des autres : celle de nos parents, de nos enfants, de nos supérieurs, de nos collègues de travail, de nos voisins et de nos amis à travers une reconnaissance psychologique et des signes extérieurs de reconnaissance.

Confronté à l'indifférence, ce besoin fondamental sera malmené et nous chercherons à le corriger.

La technique en bref

La technique est très simple : l'autre vous sollicite, l'autre vous agresse, l'autre cherche à vous séduire ? Ignorez-le. Restez impassible. Prenez vos distances. Ne répondez pas. Tout est affaire de comportement, d'attitude et de silence.

Cette technique aura pour résultat de désarmer l'autre, voire de le déstabiliser. Vous serez plus à même d'obtenir quelque chose de lui. Car quand vous romprez le mur d'indifférence, soyez sûr que l'autre sera particulièrement heureux et attentif à vos paroles !

Pourquoi ça marche ?

Nous sommes des êtres sociaux en constante interaction les uns avec les autres : nous sommes habitués à être vus et reconnus par l'autre. C'est pourquoi l'indifférence est si déstabilisante ! Elle nous rend invisible. Pour faire cesser cette « épreuve d'invisibilité », nous sommes prêts à bien des choses ! À nous rouler par terre quand, enfants, notre mère nous ignore, à faire de nombreux signes à la serveuse qui s'obstine à les ignorer, à reconquérir le cœur de notre belle qui ne « nous calcule plus », etc.

Usages de la technique

Dans le domaine professionnel, un supérieur hiérarchique peut se montrer volontairement indifférent à l'un de ses subordonnés pour lui donner envie de se dépasser. Pour que son chef le remarque, l'employé va mieux travailler, relever des challenges, etc. Dans ce cas, l'indifférence est une bonne technique de motivation.

Dans la séduction, bien sûr, jouer le bel indifférent peut s'avérer très payant. Pour séduire Coralie (ou Nicolas), essayez d'abord de vous montrer indifférent(e) à ses charmes. Votre attitude va stimuler son désir de conquête, son envie de vous séduire. Vous apparaîtrez d'autant plus désirable qu'en apparence vous l'ignorez complément : beaucoup plus, en tout cas, que si vous la (le) sollicitiez en permanence ! C'est le vieil adage « Fuis-moi, je te suis, suis-moi, je te fuis ». Ou le pas de deux de l'amour et de la séduction...

Enfin, l'indifférence peut permettre d'échapper à des situations de conflit. Votre collègue Patrick vous poursuit de sa hargne depuis qu'il a été écarté à votre profit d'un important projet ? Laissez faire. Laissez-le s'énerver tout seul. Avec le temps, peut-être se calmera-t-il. En voyant votre indifférence, peut-être s'avouera-t-il vaincu et finira-t-il par accepter la situation. L'indifférence est une démonstration de force, de puissance, de sérénité. N'hésitez pas à en user. Et rappelez-vous le proverbe : « Les chiens aboient, la caravane passe. »

Pour en savoir plus

Quand vous marquez votre indifférence vis-à-vis de quelqu'un, la personne a tendance à se juger responsable de cette attitude. Dans certains cas, non seulement elle viendra s'excuser, mais elle vous demandera ce qu'il faut qu'elle fasse pour que cesse cette indifférence ! Vous êtes alors en position de négocier.

Dans la vie professionnelle, face à un client qui vous a mal traité mais veut regagner vos faveurs, jouez l'indifférence et attendez que votre client exprime à quel point il a besoin de vous pour faire monter les enchères !

Repérer la technique (et éventuellement s'en protéger)

On remarque très vite quand une personne fait preuve d'indifférence à notre égard ! C'est parfois très agaçant.

Pour vous protéger et retrouver un peu de sérénité, recentrez-vous sur vous-même : dites-vous que cette personne cherche (peut-être) à vous atteindre et montrez-vous aussi indifférent qu'elle. Cette indifférence n'est peut-être que temporaire ?

Si cette indifférence vous affecte particulièrement, parlez-en avec des amis proches qui vous remonteront le moral et vous donneront les ressources mentales nécessaires pour passer ce cap difficile.

Attention aussi aux personnes souffrant du syndrome de « la belle indifférence » (selon les termes d'Hippocrate) qui est une insensibilité affective par incapacité de s'émouvoir. C'est une pathologie qu'il faut savoir repérer et dont n'importe qui peut être victime.

45

Parce que…

La technique de la justification

Vous êtes à la caisse d'un magasin. Vous avez envie de passer devant quelqu'un car vous avez nettement moins d'articles que lui.

— Excusez-moi, est-ce que je peux passer avant vous ?
— Non, il faut faire la queue, comme tout le monde.

Répétons l'expérience.

— Excusez-moi, ça vous embêterait de me laisser passer devant vous ? J'ai très peu d'articles, mes enfants m'attendent dans la voiture en pleine chaleur, et je dois foncer chercher le petit dernier à la crèche.
— Bien sûr, allez-y.

C'est prouvé !

Robert Cialdini, le célèbre psychologue américain, a fait l'expérience de la file d'attente aux caisses comme dans l'exemple que je vous ai rapporté. Dans la seconde situation (demande + justification), le taux de succès était bien sûr beaucoup plus important !

Une autre expérience a été réalisée par la psychosociologue Ellen Langer et ses collègues (Langer, Blank, et Chanowitz, 1978). L'expérience consistait à demander devant une photocopieuse : « Pourrais-je passer avant vous ? ». Le taux de refus atteint les 90 % mais chute à 64 % quand le mot « parce que » – suivi de n'importe quelle raison ! – est prononcé.

La technique en bref

La technique de la justification consiste à argumenter et avancer ses raisons. Expliquez, dites « pourquoi » vous voulez ce quelque chose. « Je veux *parce que…* » est toujours mieux que « Je veux ».

Eh oui, avec de bons arguments, on arrive toujours à ses fins. Et peu importe que vos arguments soient fondés ou non ! L'essentiel, c'est de justifier votre demande.

Pourquoi ça marche ?

Si les êtres humains réagissent parfois à des techniques de manipulation qui font appel à des émotions profondes (peur, réciprocité, dette, engagement, etc.), ce sont aussi des interlocuteurs rationnels.

À la caisse d'un magasin, on pourrait se dire : pourquoi cette jolie jeune femme en pleine santé veut passer devant moi ? Elle n'a pas l'air enceinte ni malade, elle est toute pimpante. L'intuition vous commande de rester dans votre bon droit, à votre place dans la file d'attente. Mais les arguments en apparence rationnels (qui vous dit qu'elle n'est pas enceinte et que ses enfants n'attendent pas dans la voiture en pleine chaleur ?) vont avoir raison de votre intuition.

Une liste d'arguments rationnels, de justifications verbales a tendance à recouvrir l'intuition première.

La parole est une arme pour emporter l'adhésion d'autrui, c'est le vecteur de la conviction. Même si nous savons que dans une interaction, beaucoup d'autres messages sont transmis par autre chose que la parole, cette dernière, surtout quand elle est rationnelle en apparence, conserve un sacré pouvoir !

Usages de la technique

N'hésitez jamais à expliquer pourquoi vous faites les choses, pourquoi vous avez besoin de l'appartement de votre ami à la plage ou de sa voiture. Faites les choses en toute transparence et en toute rationalité.

La personne à qui vous vous adressez se sentira respectée et peut-être même flattée (digne de confiance) si vous lui exposez tranquillement les raisons qui vous poussent à lui exprimer une telle demande :

— Peux-tu me prêter ton appartement à la plage ? Je voudrais y emmener Jessica, tu sais qu'on n'a pas beaucoup d'argent, en plus c'est les dernières RTT que Jessica pourra prendre avant l'automne, etc.

Sachez convaincre ! Convaincre, c'est déjà (et toujours) manipuler. Dans le bon sens du terme.

Pour en savoir plus

Dans votre justification, n'oubliez pas les raisons qui peuvent être *bénéfiques à l'autre*. Essayez de vous mettre à la place de l'autre et formulez les raisons qui font que votre interlocuteur va tirer parti de la situation s'il accède à votre demande.

— Maman, si tu me paies ce scooter, tu n'auras plus à m'emmener au lycée tous les matins.

Repérer la technique (et éventuellement s'en protéger)

Votre intuition première vous commande de ne pas laisser cette femme devant vous à la caisse du supermarché ?

N'écoutez pas ses justifications.

Vous le savez, les justifications ont tendance à abolir votre discernement, à dissiper votre intuition première (cette femme, je ne la sens pas, etc.).

— Désolé, madame. Je suis moi aussi très pressé, mon bébé attend dehors dans la poussette !

Justifiez. Contre-attaquez !

46

« Qui peut le plus, peut le moins »

La technique du 80/20

« Allez, encore un petit effort et ça sera terminé ! » Cette phrase, vous l'avez sans doute déjà entendue plus d'une fois, et mon petit doigt me dit qu'elle a dû vous redonner de la motivation pour en finir une bonne fois pour toutes avec un travail interminable ! C'est la technique dite du 80/20 : quand vous avez fait 80 % du travail et qu'il n'en reste plus que 20 %, n'êtes pas vous motivé pour faire le peu qu'il reste ?

C'est prouvé !

L'économiste italien Vilfredo Pareto a créé un système qui porte son nom. 80 % des richesses de la planète sont réservées à 20 % des individus de ce monde ou encore 80 % du chiffre d'affaires est réalisé par 20 % des clients Avec 80/20, l'être humain dispose d'un ratio très visuel !

Le fameux ratio de Pareto est souvent utilisé en manipulation : visuellement, il exprime beaucoup de choses et peut servir à remotiver les travailleurs qui ont déjà accompli 80 % de leur tâche !

La technique en bref

Combien de fois vous a-t-on dit : « Allez, encore un petit effort et tu as fini » ? La technique repose sur le fait que vous vous êtes déjà bien rapproché de votre objectif. Afin que vous finissiez à temps, ou pour vous motiver davantage, on se sert du fait que vous avez bientôt terminé.

Le principe de Pareto est opérant avec les valeurs 80/20 mais cela marche aussi avec trois quarts ! « Tu as fait les trois quarts, il ne te reste plus grand-chose. » : voilà une parole motivante.

Pourquoi ça marche ?

La loi Pareto est redoutable en communication puisqu'elle active la représentation chez l'individu. 80 pour 20, c'est limpide et efficace. Les communicants utilisent beaucoup ce ratio. Quand un employé apprend qu'il a fait 80 % du travail, même si ce dernier est ingrat, il se dit qu'il ne lui reste que 20 % de la tâche pour en finir une bonne fois pour toutes. Avoir fourni presque complètement l'effort demandé donne un surcroît de motivation qui permet à l'individu de s'exécuter plus facilement.

Lorsqu'on nous dit que nous avons bientôt terminé quelque chose, notre motivation se décuple. Nous pouvons entrer dans un état euphorique à l'idée d'en avoir bientôt fini et nous acceptons mieux de pouvoir passer à autre chose et d'enchaîner sur une nouvelle demande. En revanche, dans l'autre sens, le ratio 80/20 est décourageant ! « Laisse tomber, tu n'as fait que 20 % du travail en 2 alors que tu dois le finir pour la fin de journée et qu'il te reste 80 % du travail. » Il est certain que c'est démotivant...

Usages de la technique

Nous pouvons retrouver cette technique dans le milieu professionnel mais aussi au sein de la famille. Quand un enfant révise ses leçons mais qu'il en a assez, sa mère peut lui dire « Écoute, maxime, tu as fait 80 % de tes devoirs, encore un petit effort et tu pourras aller jouer avec tes copains. »

Si vous faites un footing de 20 km et qu'au bout de cette distance votre corps est douloureux et vous invite à arrêter de courir, le simple fait de savoir qu'il ne reste plus que 5 km va grandement vous motiver !

Pour en savoir plus

Comment motiver quelqu'un en 5 leçons :

a. Dites aux gens exactement ce que vous voulez qu'ils fassent. Motiver consiste à amener les gens à prendre des décisions et à agir, alors ne soyez pas vague. Évitez les généralités du genre : « Je veux que tu fasses de ton mieux. » Dites plutôt : « J'ai besoin que tu viennes ce week-end afin que nous puissions terminer notre travail. »

b. Limitez la quantité de temps ou d'effort que vous exigez. Il est plus facile de demander à quelqu'un de travailler travail tard dans la nuit que de s'attendre à ce qu'il travaille tard indéfiniment. Définissez la date de fin selon la loi du 80/20. « Tu as fait 80 % du chemin, il nous en reste 20. En travaillant cette nuit durant quatre heures, le travail sera entièrement terminé. »

c. Ne demandez pas à quelqu'un de travailler le week-end si vous avez l'intention de vous reposer. Retroussez vos manches et partagez la charge de travail.

d. Utilisez le pouvoir des émotions. Il est préférable de motiver par des émotions positives comme l'excitation, la fierté, le sentiment d'appartenance et la satisfaction du travail bien fait.

e. Donnez aux gens des raisons pour lesquelles ils sont censés faire ce que vous leur demandez. Par exemple : « Si nous ne terminons ce projet dans les délais, nous allons perdre le contrat. » Plus la raison sera personnelle et gratifiante (obtenir un congé, une prime, etc.), plus la motivation sera forte.

Repérer la technique (et éventuellement s'en protéger)

Il est très simple de repérer la manipulation puisqu'il suffit d'entendre que l'on vous parle de statistiques « 80/20 » (ou trois quarts un quart, ou deux tiers un tiers… cela marche aussi !).

Si vous remarquez qu'une personne utilise cette technique sur vous, dites-vous que cette personne cherche à vous motiver et à vous faire cravacher !

À vous de voir si cela a du sens pour vous…

47

« Comme ça sent bon, par ici... »

La technique de l'odeur

Vous vous promenez en ville et vous faites du lèche-vitrines. Vous allez de magasin en magasin. Soudain, dans une boutique, vous vous sentez merveilleusement bien. Il y flotte une délicieuse odeur. Elle est diffusée par le commerçant ! Le stress de la foule disparaît, vous vous sentez comme chez vous... Comment ne pas acheter quelque chose dans un endroit si agréable ?

Mesdames, messieurs, vous faites une nouvelle rencontre. Cette personne porte un parfum très agréable. Il y a fort à parier que vous vous sentiez bien en compagnie de cette personne, si le parfum n'est pas trop fort ou s'il ne vous évoque pas celui d'un(e) ancien amant(e) qui vous a fait souffrir, car la mémoire olfactive est très puissante.

Agréables ou désagréables, les odeurs induisent toujours des modifications dans nos comportements.

Si vous en doutez, lisez ce best-seller, *Le Parfum*, de Patrick Süskind, qui raconte la vie de Jean-Baptiste Grenouille, homme aux instincts meurtriers qui manipule tout le monde grâce aux odeurs, aux parfums.

En attendant, lisez ce qui suit...

C'est prouvé !

Les recherches de Jean-Charles Chebat et Richard Michon, psychologues canadiens, ont prouvé que certaines odeurs diffusées en magasin poussaient les clients à dépenser plus d'argent. Voici le protocole qu'ils ont mis en place dans un centre commercial de Montréal : la première semaine, on diffuse une odeur neutre ; la deuxième semaine, on diffuse une odeur d'agrumes et la troisième semaine, une odeur de lavande. Les résultats de cette étude sont stupéfiants : durant la deuxième et la troisième semaine, le panier moyen passe de 45 à 70 dollars, soit une augmentation des ventes de 55 % ! C'est ce qu'on appelle le « marketing atmosphérique » (effet des odeurs, couleurs ou musique sur le comportement du consommateur). Ici, il s'agit plus précisément de « marketing olfactif ». Une autre étude a montré qu'un parfum d'ambiance augmente de 45 % l'utilisation des machines à sous dans les casinos. Par ailleurs, un parfum d'ambiance donne l'impression de passer moins de temps à faire la queue ou à attendre. Une étude expérimentale dans une pizzeria révèle qu'un parfum à base de citron, aux effets stimulants, pousse les clients à consommer plus, et notamment plus de desserts. En moyenne, pour les spécialistes, une odeur bien choisie et bien diffusée (comme des huiles essentielles par exemple), accroît les ventes d'une boutique de 20 %.

Si les odeurs peuvent inciter à acheter plus, elles peuvent aussi pousser les gens à mettre en avant telle ou telle qualité et à améliorer leurs performances. Les expériences scientifiques de Nicolas Guéguen, de l'université de Bretagne-Sud, ont démontré que l'odeur de vanille rendait plus serviable, que la rose aidait à mémoriser, que la menthe permettait de courir plus vite et que, grâce au citron, on réalisait de meilleurs créneaux !

La technique en bref

Une bonne odeur nous conditionne positivement, tandis qu'une mauvaise nous répugne et nous repousse.

Sachez créer un univers olfactif attrayant. Sur vous (avec un parfum délicat), chez vous (papier d'Arménie ou parfum d'ambiance) ou encore dans votre magasin, si vous êtes commerçant (odeur de brioche dans une boulangerie, senteurs subtiles dans un magasin de décoration, etc.).

Pourquoi ça marche ?

L'odorat est le premier sens que l'être humain développe après sa naissance. Les nouveau-nés reconnaissent leur maman grâce à son odeur alors même que leur vision n'est pas encore définitivement développée. Un bébé voit flou pendant plusieurs mois. Quand un bébé pleure, il ne s'arrête que lorsque c'est sa maman qui le porte. Pourtant le bébé a les yeux fermés : il reconnaît sa maman à sa voix mais surtout à son odeur qu'il sent sans cesse quand elle colle sa tête contre son torse.

Les odeurs conditionnent nos réactions comme lorsque nous sentons une odeur d'urine ou d'une bonne andouillette. On fait la grimace ou l'on salive d'excitation. On aime ou on n'aime pas…

Des chercheurs travaillent sans cesse pour créer de nouveaux parfums qui nous séduiront. Une bonne odeur, cela crée un climat, cela rassure et permet de se sentir bien.

Usages de la technique

Les odeurs peuvent être utilisées lors de nombreuses situations. Voici quelques exemples.

Quand une personne cherche à vendre son appartement, elle va faire en sorte que son intérieur sente bon afin que l'acheteur potentiel soit dans une ambiance chaleureuse et favorable à l'achat.

Les fast-foods, quant à eux, ont recours à des diffuseurs d'odeurs pour attiser l'appétit des clients.

Enfin, lors d'un premier rendez-vous, hommes et femmes emploient le parfum pour mieux séduire. Il en va de même lors d'un entretien d'embauche.

Pour en savoir plus

Inutile de faire un descriptif complet des différentes fragrances existantes mais réfléchissez à l'impact que peuvent avoir les odeurs dans votre communication. Sachez doser les effluves ! Un parfum trop marqué ou trop commun (trop « cheap ») peut avoir un effet négatif sur votre image de marque.

Vous n'êtes pas obligé de vous parfumer, surtout si vous sentez bon naturellement (!). Mais un minimum de trace olfactive est requis, qu'il s'agisse de l'indispensable déodorant ou même de l'odeur de vos vêtements (« lavande », « odeur de propre ») selon la lessive que vous utilisez.

Aujourd'hui, de très nombreux parfumeurs proposent des fragrances originales qui s'adaptent à chacun : essayez de personnaliser votre signature olfactive en essayant divers parfums, en recueillant les avis de votre entourage, en changeant de parfum selon les saisons, etc. Vous verrez, cela donnera du relief à votre personnalité !

Repérer la technique (et éventuellement s'en protéger)

Inutile de chercher à se protéger des odeurs, ou alors achetez un pince-nez... mais vous vous priveriez des senteurs agréables !

Vous pouvez vous amuser à repérer comment les individus qui vous entourent utilisent les odeurs inconsciemment. Du parfum par-ci, un bouquet de fleurs par-là, une senteur dans une pièce... Vous aurez vite « du nez » pour beaucoup de choses ! Comme notre ouïe, notre odorat se travaille : un odorat exercé est souvent très utile.

48

L'habit fait le moine

La technique des vêtements

On dit souvent : « L'habit ne fait pas le moine. » Eh bien, en manipulation, c'est tout l'inverse. L'habit fait très souvent le moine. Si un commercial vient chez vous habillé en short, tee-shirt et portant des lunettes de soleil, lui accorderez-vous du crédit ? Je n'en suis pas sûr...

C'est prouvé !

Leonard Bickman, en 1974, a prouvé que les gens obéissent plus à un homme en uniforme qu'à un homme habillé normalement. Quant aux chercheurs Lefkowitz, Blake et Mouton, ils ont démontré en 1955 que les piétons suivront plus volontiers un homme élégant qui traverse au rouge plutôt qu'un ouvrier en bleu de travail.

Certains éléments matériels ou immatériels peuvent vous auréoler d'un prestige qui impose le respect auprès d'une majorité de gens : une belle voiture, de beaux bijoux, de beaux vêtements, etc. Nous avons l'occasion de l'expérimenter très souvent !

La technique en bref

La technique de l'habit est une arme de manipulation fatale. D'ailleurs, les animaux revêtent eux aussi leurs plus beaux atours lors de la parade nuptiale !

En fonction de l'objectif que vous voulez atteindre, sachez vous habiller en conséquence : costume-cravate pour un entretien avec votre banquier, veste smart (sans cravate) pour un entretien en agence de pub, chemise repassée pour aller déjeuner chez belle-maman... À chaque situation de la vie son *dress code*.

Tous les plus grands séducteurs de la planète vous diront que votre image est votre première technique de séduction. C'est bien connu, la lumière va plus vite que le son.

Pourquoi ça marche ?

Nous changeons de vêtements en fonction des situations que nous vivons. Le dimanche, à la maison, nous pouvons nous habiller relax et rester en pyjama. Mais quand il faut impressionner un auditoire, se mettre sur son trente et un devient la règle.

Nous accordons naturellement du crédit aux personnes qui prennent soin d'elles. D'ailleurs, il suffit que la personne ait un costume et une montre de luxe pour que, automatiquement, notre esprit l'associe a un rang social élevé !

Notre animalité profonde nous fait ainsi juger autrui « sur son habit ». Les prédateurs des océans ou de la jungle savent bien qu'il ne faut pas croquer certains poissons bigarrés ou insectes multicolores, car ils sont empoisonnés ! La parure est toujours le signe de quelque chose : pouvoir, argent, danger... ou illusion de sécurité. Ainsi, les cambrioleurs de palaces se déguisent en clients fortunés, les cambrioleurs de bijouteries juives se déguisent en juifs pratiquants (gang des « rabbins braqueurs »), etc.

Usages de la technique

La technique se pratique au quotidien, au travail bien évidemment et dans la majorité des interactions sociales. Vous serez apprécié de vos amis avec un peu d'élégance ! Vous remonterez dans leur estime et certains auront peut-être envie de vous imiter (« Où as-tu acheté cette belle chemise ? »)

Par ailleurs, bien s'habiller permet aussi de s'auto-influencer positivement : avec une nouvelle veste, un nouveau manteau à la mode, nous avons plus d'assurance, nous nous sentons plus à l'aise dans la société que si nous traînions « nos vieilles nippes ». Bien s'habiller agit sur le moral !

La grande comédienne Bernadette Lafont disait aussi que le costume était une grande partie du rôle : c'est quand elle revêtait la robe du personnage qu'elle commençait à entrer dans le rôle, à se sentir réellement autre. L'habit a du pouvoir sur nous, comme il en a sur les autres.

Dans une situation de séduction, mieux vaut d'emblée mettre tous les atouts de votre côté : tenue vestimentaire, maquillage (pour les filles), coiffure, etc., plutôt que de vouloir apparaître au naturel. Votre amoureux(se) aura tout le temps de vous découvrir au naturel au lever du lit.

L'important est de créer un attachement dès le départ si vous souhaitez sortir avec quelqu'un et le/la voir souvent au meilleur de vous-même. Le risque, en restant trop naturel, est de créer une déception avant même d'avoir donné l'occasion à la relation de s'instaurer. Par ailleurs, sur un plan biologique, il a été prouvé que plus on voit une personne et plus on a de contacts physiques avec, plus on sécrète une hormone, l'ocytocine, qui est l'hormone de l'attachement. C'est une des raisons pour lesquelles on reste parfois en couple avec des personnes qui ne correspondent pas nécessairement à notre type ! Une fois le processus engagé, il est difficile de retourner en arrière en vertu du principe de cohérence (l'être humain veut à tout prix rester cohérent avec ses choix ou un engagement de départ ; les contredire le met en danger psychologiquement : voir technique, p. 105).

Pour en savoir plus

Adaptez votre tenue à la situation. Ne cherchez pas forcément à vous différencier. Dans la plupart des cas, il faut s'habiller « comme les autres », c'est-à-dire adopter les codes vestimentaires du groupe auquel on appartient. Si vous travaillez dans une start-up, vous n'allez pas revêtir un costume-cravate. Ce sera jean, baskets et chemise à carreaux pour tout le monde, une petite veste parfois pour faire un peu dandy ! À l'inverse, dans une compagnie d'assurances, le costume sera de rigueur, sauf le vendredi où vous devrez sacrifier au rituel du *casual Friday* (« vendredi décontracté »). Ce jour-là, vous pourrez alors laisser tomber la cravate…

Nous synchronisons naturellement nos vêtements avec la situation. En voyage dans des pays lointains, nous adoptons aussi plus ou moins les coutumes vestimentaires des pays en question (paréo et châle en Inde pour les femmes, tenue légère pour les hommes…).

Comme le parfum, l'usage du vêtement est subtil. Le vêtement nous permet à la fois de passer inaperçu et de nous distinguer. En nous habillant, nous jonglons entre ces deux termes. Quoi qu'il en soit, sachez faire bonne impression avec vos tenues pour influencer positivement vos interlocuteurs !

Repérer la technique (et éventuellement s'en protéger)

Inutile de se protéger d'une technique qui n'est au fond qu'une pratique universelle et millénaire.

En revanche, si vous avez rendez-vous avec une personne trop apprêtée (ou tapageuse), cela en dit peut-être long sur son caractère, sur son besoin de briller, d'attirer l'attention, d'être au-dessus des autres… Sachez décrypter ces signes. En observant la tenue de quelqu'un, on en apprend déjà beaucoup sur lui.

49

« C'est fantastique, extraordinaire, génial, sublime ! »

La technique de l'exagération et de l'hyperbole

L'un de vos amis vient de voir le dernier *Batman* au cinéma. Il vous dit : « Il faut absolument que tu ailles le voir, ce film est fabuleux ! Le jeu des acteurs est incroyable, j'ai ressenti des émotions fortes… j'ai adoré ! » N'êtes-vous pas tenté par ce film ? J'imagine que oui. La « valorisation hyperbolique » des choses, l'exagération positive, l'enthousiasme portent souvent leurs fruits.

C'est prouvé !

Selon le linguiste Kreutz (1996), l'hyperbole est la figure de style la plus courante dans les interactions humaines après la métaphore. L'exagération est présente dans 80 % de nos communications. Les chercheurs ont constaté que l'hyperbole et les métaphores influencent le raisonnement des gens, qui les utilisent comme critères de choix et de comparaison. Ces résultats suggèrent que l'hyperbole peut influencer non seulement nos choix, mais incite les gens à penser qu'il s'agit *du meilleur choix*. La plupart ne soupçonnent pas combien les métaphores et l'hyperbole ont joué un rôle important dans leur choix et décisions. Ces résultats suggèrent qu'elles agissent secrètement sur notre raisonnement.

La technique en bref

Pour capter l'attention de l'autre, il faut utiliser des superlatifs puissants qui vont le conditionner de façon favorable ou défavorable. Si vous revenez d'un restaurant où vous avez très mal mangé, vous direz : « C'était tout simplement ignoble, j'ai très mal mangé ! La nourriture était infecte et le service déplorable. Bref, si tu veux t'empoisonner et passer un moment atroce, vas-y. » Ces paroles auront un impact fort sur votre interlocuteur.

Pourquoi ça marche ?

Les hommes politiques sont les premiers à utiliser la manipulation par l'hyperbole lors de leurs discours. S'ils ne forcent pas un peu le trait, ils courent le risque de devenir « inaudibles ». Comme le storytelling, l'hyperbole est une technique efficace pour capter l'attention d'un public. En revenant d'un restaurant exécrable, votre diatribe (voir plus haut) va marquer vos interlocuteurs et influencer leurs choix.

Usages de la technique

On peut utiliser l'hyperbole très fréquemment. Dès que vous devez donner votre avis, vous pouvez l'employer !

Au travail, avec votre patron, si vous voulez recommander un ami graphiste : « Je vous conseille vraiment de faire appel à Maxime, c'est un graphiste free lance extraordinaire, très inventif, bourré de talent. » C'est mieux que si vous dites : « Maxime n'est pas mal, il travaille bien. »

À la maison, avec votre femme : « Tu sais, chérie, tes fondants au chocolat sont délicieux, je pourrais en manger sans faim. » C'est beaucoup mieux que de dire simplement : « C'est bon », ce qui risque de paraître un peu court aux yeux de votre femme !

Si vous êtes critique de cinéma : « Somptueux ! Sublime ! Génial ! Extraordinaire ! Un chef-d'œuvre ! Un morceau de bravoure ! Un film excellemment réalisé et joué ! », etc. Car si vous n'écrivez que : « Un bon film », les spectateurs n'auront pas très envie d'aller le voir. Ils se demanderont si le film est si bon que ça...

Pour en savoir plus

Sachez varier les adjectifs hyperboliques et ne dites pas seulement : « C'est génial ! » L'hyperbole se travaille et demande de la créativité, de l'enthousiasme, une salve de mots magnifiques, enjoués et valorisants propres à séduire et influencer votre auditoire !

Pour refuser un rendez-vous, dites :
— J'ai vraiment des millions de choses à faire.

Pour excuser quelqu'un :
— Elle a pleuré pendant des heures.

Pour exprimer sa faim :

— J'ai une faim de lion, de loup, je mangerais un bœuf.

Pour valoriser un collègue :

— Il travaille à la vitesse de la lumière.

Pour souligner un fait :

— Je te l'ai répété un milliard de fois.

Pour trouver une excuse :

— Je suis tellement fatigué que je pourrais dormir pendant un an.

Repérer la technique (et éventuellement s'en protéger)

Pour repérer cette technique il suffit d'écouter les discours des personnes qui vous entourent. Observez les personnes qui utilisent des superlatifs dès qu'elles donnent leur avis. Certaines disent tout le temps : « C'est sublime. » Souriez-en et faites la part des choses. Inutile de chercher à réellement se protéger de cette technique. La protection ultime, c'est d'avoir suffisamment de recul pour apprécier les choses et les êtres à leur juste valeur.

50

« Tu préfères être riche et en bonne santé... ou pauvre et malade ? »

La technique du contraste

Vous entrez dans une boutique et vous avez besoin d'un jean. Le vendeur vous présente un premier jean, à la qualité incroyable et de coupe parfaite. Ensuite, il vous montre un jean beaucoup moins bien coupé. Évidemment, vous penchez plutôt pour le premier jean, terriblement mis en valeur par l'aspect « cheap » et banal du second.

C'est une technique que certaines ados, par exemple, connaissent bien. Il y a de jolies filles qui ont besoin d'une « faire-valoir » pour paraître plus belles encore qu'elles ne sont aux yeux des garçons !

C'est prouvé

Il existe de nombreuses études sur la question. En 1989, les chercheurs Gutierres et Goldberg ont montré que les images de femmes que l'on peut trouver dans *Playboy*, par exemple, amenaient les hommes qui les voyaient à juger leur propre partenaire moins désirable. Des hommes et des femmes hétérosexuels ont été recrutés pour une étude intitulée « jugement esthétique et artistique ». La moitié des participants devaient regarder des photos de femmes ou d'hommes nus (les hommes ont vu des images publiées par *Playboy* ou *Penthouse* et les femmes ont vu des images de *Playgirl*), tandis que l'autre moitié regardait des images d'art abstrait. Après cela, les participants ont rempli un questionnaire dans lequel il leur était demandé d'évaluer l'attirance qu'ils éprouvaient pour leur conjoint. Les résultats ont indiqué que les femmes conservaient la même attirance, quel que soit le type d'images qu'elles aient regardées. En revanche, les hommes qui avaient eu devant les yeux des images érotiques avaient vu leur attirance pour leur femme se réduire.

La technique en bref

Maniez le contraste ! Comme dans le choix illusoire, proposez deux choses : pour que la personne aille dans votre sens, il faut que l'une des deux propositions soit manifestement inintéressante ou de peu de valeur. Par contraste, l'autre proposition apparaîtra plus attrayante !

Pourquoi ça marche ?

Le contraste fonctionne très bien car il met en opposition deux éléments : nous aimons choisir, surtout quand le choix est aussi facile à faire ! On délaisse la proposition (le produit) peu souhaitable et on se rue sur la proposition (le produit) attirant(e).

Usages de la technique

La technique du contraste peut être exercée dans de nombreuses situations.

Dans la vente, par exemple :

— Je vous propose notre nouveau produit qui est 5 fois plus puissant que l'ancien et coûte le même prix. Vous préférez le nouveau produit ou l'ancien ?

À la maison :

— On mange vite fait (d'ailleurs, il n'y a quasiment plus rien dans le frigo) ou on se fait un petit restaurant ?

Pour en savoir plus

Pour utiliser cette technique de manipulation qui a beaucoup de chances de n'être pas détectée par votre interlocuteur, il faut vraiment chercher à trouver *l'opposé* de ce que l'on cherche à faire approuver. Par exemple, si vous cherchez à faire admettre que votre cuisine est meilleure qu'une autre, dites : « Tu en penses quoi de ma cuisine, tu préfères mes gambas à la plancha ou celles de la cantine ? – Tes gambas, évidemment, quelle question ! Elles sont très bonnes. »

Repérer la technique (et éventuellement s'en protéger)

Il peut être délicat de repérer cette technique si utilisée (de manière inconsciente). Si vous la voyez pointer le bout de son nez, cherchez à comprendre pourquoi votre interlocuteur vient de l'employer :

pourquoi cherche-t-il votre approbation ? Amusez-vous à contrarier ses plans. Dans l'exemple des gambas, répondez par exemple : « Je préfère les gambas de la cantine ! »

51

La peur du gendarme

La technique de la figure d'autorité

Dans ses vidéos gags en caméra cachée, Laurent Baffie, habillé en policier, interpelle des gens dans la rue. Il colle des contraventions à tout le monde. Évidemment, tout un chacun se soumet et lui donne du « monsieur l'agent » !

En endossant l'habit d'une figure d'autorité, le célèbre amuseur a tout pouvoir pour faire tourner les gens en bourrique !

C'est prouvé !

La célèbre « expérience de Milgram » montre à quel point nous sommes soumis aux figures d'autorité. Dans cette expérience, des gens étaient recrutés pour faire passer de prétendus tests de mémoire à un complice de Milgram. Chaque fois que le complice faisait semblant de se tromper, ils devaient lui envoyer une décharge électrique qui augmentait à chaque mauvaise réponse, jusqu'à atteindre au final 450 volts ! Malgré les hurlements (mis en scène) de plus en plus importants du complice, 65 % des personnes testées n'ont pas hésité à aller jusqu'au bout de l'expérience et à infliger des décharges (heureusement fictives, elles aussi) de 450 volts.

Il y a quelques années, « Le Jeu de la mort » a été diffusé à la télévision française selon le même principe.

La technique en bref

Si vous êtes en position de figure d'autorité (médecin, policier, professeur, expert, ponte d'une grande entreprise), vos interlocuteurs vous respecteront davantage. Et cela est vrai aussi si vous êtes serveur derrière un comptoir ! De ce simple serveur qui règne sur son bar, on attend qu'il nous repère, qu'il nous ait « à la bonne », etc.

La figure d'autorité enclenche des mécanismes très puissants. Si un médecin en blouse blanche vous délivre un diagnostic, vous avez tendance à accueillir celui-ci comme parole d'évangile et non à le remettre en question ! En revanche, si vous étiez au café avec cet homme, vous n'hésiteriez pas à débattre de politique avec lui.

La figure d'autorité est relative à l'habit, au poste occupé, ainsi qu'aux situations et au contenu du discours délivré.

Pourquoi ça marche ?

Les êtres humains ont une propension naturelle à l'individualisme, à la rébellion, mais aussi à la soumission. Heureusement ! C'est ce qui fait que – le plus souvent – on respecte naturellement un policier en uniforme, un expert des tremblements de terre, ou encore les adultes quand on est enfant.

Les figures d'autorité sont partout dans les sociétés humaines. À un niveau collectif, elles sont incarnées par l'État, par les juges, les militaires ou la police, mais aussi par Dieu (pour les croyants).

Usages de la technique

À votre niveau, vous pouvez être aussi une figure d'autorité ! Vous l'êtes pour votre enfant si vous en avez. Vous l'êtes dans votre travail vis-à-vis de collaborateurs moins expérimentés que vous ou pour ceux qui dépendent de vous (justiciables si vous êtes magistrat, malades si vous êtes médecin, etc.).

En tant que figure d'autorité, vous avez du pouvoir sur votre enfant, votre patient, vos salariés, etc. Sachez en jouer à bon escient.

Pour en savoir plus

De très nombreux escrocs utilisent le masque et l'habit de la figure d'autorité pour influencer leurs victimes. Même sans penser à Laurent Baffie ou à des malfaiteurs déguisés en policiers, songeons à ces chirurgiens esthétiques qui, sous couvert d'exercer dans une clinique et d'être habillés en blouse blanche, soutirent souvent des milliers d'euros à des femmes complexées... pour des résultats contestables, voire catastrophiques !

Repérer la technique (et éventuellement s'en protéger)

Respectez naturellement les figures d'autorité : votre médecin, votre professeur, un agent de police...

Mais n'abolissez pas pour autant votre esprit critique ! Sachez vous exprimer quand il le faut. Il est tout à fait possible de contester une figure d'autorité avec courtoisie et respect.

Dites par exemple :

— Merci docteur pour vos conseils. Je sais qu'une grossesse est très risquée à mon âge. Mais je vais néanmoins tenter d'avoir cet enfant car mon mari et moi en avons très envie.

Ou encore :

— Vous me forcez à envoyer des décharges électriques à ce pauvre homme ! Je refuse de participer à cette expérience sadique plus longtemps.

Rappelez-vous l'expérience de Milgram... Il faut se méfier des figures d'autorité qui nous font faire n'importe quoi !

52

« Je voudrais les mêmes baskets que Zidane »

La technique de l'association positive

Quand la très belle Scarlett Johansson fait la promotion d'un sac ou d'un parfum dans un spot publicitaire, vous avez envie du même sac ou du même parfum ! Si vous êtes une jeune femme, vous vous identifiez positivement à elle et vous avez donc envie de la même chose qu'elle. Si vous êtes un homme, vous aurez peut-être envie d'acheter ce sac à votre femme ? Il semble doté des mêmes qualités de raffinement et de glamour que la belle Scarlett…

La technique de l'association positive est naturellement très utilisée en publicité. Mais vous pouvez aussi pratiquer cette technique pour vous-même.

C'est prouvé !

En 1968, Smith et Engel ont testé des participants en leur montrant deux types d'annonce pour une voiture. Sur l'une de ces annonces, il y avait une voiture seule, et sur l'autre, il y avait une jolie femme à l'intérieur. Les participants ont évalué la voiture (avec la jolie conductrice) plus attrayante et plus rapide que l'autre voiture, même s'il s'agissait du même véhicule. La conclusion des chercheurs est que les gens aiment plus une chose associée à une autre chose perçue comme importante ou intéressante.

Cialdini, en 1976, a constaté que les étudiants avaient une plus grande probabilité de porter les couleurs de leur université le lendemain de la victoire de leur équipe sportive. Ils veulent, inconsciemment, être associés à une équipe gagnante car cela rejaillit sur la perception que les autres ont d'eux.

Les gens associés à une victoire, même si ce n'est pas la leur, sont plus respectés que les autres. Pensez à la manière dont nous devenons obséquieux avec les parents d'une célébrité par exemple... Nous pouvons tous profiter de ce conditionnement positif en évitant soigneusement les associations négatives.

La technique en bref

Les marques usent amplement de l'association positive. Vous trouvez Adrien Brody beau et sympathique ? Vous aurez peut-être envie d'acheter les produits Lacoste, dont il est l'égérie. Vous regardez le foot à la télé ? Voyez le grand nombre de marques qui associent leur nom à ce sport populaire.

Quand une marque s'associe à une personnalité, elle essaie de *capter* les éléments positifs liés à son égérie. Dans le cas d'Adrien Brody, cela peut être : charisme, spontanéité, sportivité, etc., qui vont rejaillir sur les polos Lacoste.

Vous aussi, vous pouvez pratiquer la technique des associations positives pour vous faire bien voir. Si vous invitez une jeune fille dans un très bel endroit, la beauté et le chic de l'endroit vont rejaillir sur vous. Si vous dites que vous connaissez certaines célébrités du « show-biz », leur charisme et leur glamour seront rattachés positivement à votre personnalité.

Pourquoi ça marche ?

L'être humain a tendance à associer à une personne (à une marque) tout ce qui gravite autour d'elle. Après tout, rien ne dit que cette compagnie aérienne *aime* le foot. Mais en s'associant au Mondial de football, elle s'attire la sympathie des fans de sport. C'est la même chose quand vous voulez séduire une jeune fille ! Vous l'emmenez au bar d'un palace ? Pourtant, vous n'avez pas de quoi dormir dans un palace. Vous connaissez des people ? Pourtant, vous n'en êtes pas un. Néanmoins, la jeune fille associe « palace » et « people » à votre personnalité… et c'est comme si, à ses yeux, vous deveniez un peu un people habitué des palaces. En tout cas, cela vous confère une aura de glamour ! L'être humain a beaucoup de mal à détacher son interlocuteur de son environnement, des éléments positifs (ou négatifs) qui s'attachent à lui-même si ceux-ci n'ont rien à voir avec lui.

Usages de la technique

Faites comme dans les exemples ci-dessus. Pour vous valoriser (au travail, en amour, en amitié), faites un peu de *name dropping*, racontez vos voyages au bout du monde, etc. Créez une aura positive autour de vous.

Mais n'en abusez pas ! Ou vous pourriez être taxé de vantardise.

Pour en savoir plus

L'association positive, cela marche aussi quand ce sont les autres qui sont en plein « événement positif » ! Par exemple, pour réclamer une augmentation, attendez l'annonce de bons résultats trimestriels, la promotion de votre chef, etc. Profitez de l'occasion pour demander une faveur quelconque. Dans l'euphorie, on vous l'accordera peut-être !

À l'inverse, quand une personne est « dans la mouise », inutile d'aller vers elle (sauf pour la soutenir) : elle nage dans la négativité et de cette négativité, rien de bon ne sortira.

Repérer la technique (et éventuellement s'en protéger)

Amusez-vous à repérer les personnes qui adorent utiliser les associations positives pour paraître plus intéressantes qu'elles ne sont réellement. Certaines personnes ne racontent que « leurs voyages en première », comme dans la chanson de Cabrel. Ou disent qu'elles sont proches de l'ami du manager de Johnny... même si elles n'ont jamais pénétré dans l'univers enchanté de Johnny !

53

« Quel délicieux repas, on passe vraiment un bon moment ! »

La technique du repas

Si votre chef vous invite à déjeuner dans un excellent restaurant, cela vous fera bien plaisir ! Vous vous régalez jusqu'au moment où vous manquez d'avaler de travers en apprenant qu'on vous confie une mission qui va vous demander un énorme travail ! Au milieu de ce moment convivial, vous avez plus de mal à réagir (voire à refuser) que si votre patron vous l'avait annoncé dans son bureau. Après tout, vous n'allez tout de même pas gâcher un si bon moment ?

Vous vous êtes fait manipuler.

C'est prouvé !

Le psychologue américain Gregory Razran a montré, dès les années 1930, que nous étions plus malléables et plus à même d'accueillir les demandes des autres lors d'un bon repas. Le sentiment de bien-être procuré par le fait de manger nous apaise (peut-être nous engourdit un peu) et augmente notre bienveillance.

La technique en bref

Il est parfois bien utile d'inviter un client à déjeuner ! D'abord, il sera sensible à l'attention. Ensuite, vous l'aurez « pour vous tout seul » pendant une heure. Il ne pourra pas filer en vitesse et sera obligé de vous écouter. Vous pourrez vous aussi l'écouter, obtenir des informations et faire le point tranquillement, autour d'un bon repas, sur vos projets communs.

Invitez aussi vos parents, votre fils, votre amoureux(se) si vous voulez renouer le lien et trouver un peu d'intimité pour parler. Un déjeuner (ou un dîner) offre un cadre tout à fait propice à la relation !

Pourquoi ça marche ?

De nos jours, nous nous sommes habitués à manger vite des aliments de qualité moyenne. Inviter quelqu'un dans un restaurant où la nourriture est bonne et le cadre agréable permet de créer un climat positif et d'instaurer la confiance. Bien manger provoque une libération de sérotonine dans le cerveau : nous apprécions ce que nous mangeons, donc nous sommes plus enclins à écouter les demandes externes.

Usages de la technique

Dans le monde du travail, les déjeuners d'affaires sont monnaie courante pour finaliser un accord entre les deux parties. En couple, on s'invite de temps en temps à dîner au restaurant pour se témoigner son attachement. Enfin, les amis s'invitent eux aussi à tour de rôle pour partager un bon moment. En ville, les dîners mondains peuvent aussi être d'efficaces relais d'influence...

Pour en savoir plus

Pour séduire votre interlocuteur, invitez-le dans un bon restaurant : choisissez bien le lieu. Au cours du repas (ou, comme le dit le proverbe, « entre la poire et le fromage »), n'hésitez pas à formuler vos idées, à exprimer vos demandes.

Si vous êtes avec votre amoureux(se), regardez-le (la) dans le blanc des yeux... et laissez le charme agir !

Repérer la technique (et éventuellement s'en protéger)

Quand on vous invite à dîner ou à déjeuner, soyez attentif aux sollicitations qui peuvent s'exprimer. Prenez du recul sur la situation et demandez-vous si vous accepteriez « à froid » ce que l'on attend de vous, en dehors de ce cadre chaleureux et de ce bon repas.

54

« Plus je te vois, plus je t'aime »

La technique de l'attachement

Jean-Pierre Pernaut et Claire Chazal sont des figures emblématiques de TF1 : à force d'être vus quotidiennement, ils ont su gagner l'estime des téléspectateurs.

Il en va de même pour les « tubes » de l'été : tout d'abord, on trouve la musique « sympathique » ; puis, à force de l'écouter, on s'y attache, on l'aime de plus en plus et on la reconnaît immédiatement, dès les premières mesures !

C'est prouvé !

En 1978, le chercheur américain Joseph Grush a prouvé la chose suivante : plus un homme politique apparaît dans les médias, plus les gens ont de chances de voter pour lui ! Car mécaniquement, à force de le voir, ils s'y attachent.

La technique en bref

Plus vous serez proche de quelqu'un et plus cette personne aura tendance à vous favoriser, à penser à vous, à vous défendre auprès des autres. Car quand nous sommes liés à quelqu'un, nous lui sommes attachés. Et cet attachement engage quelque chose de nous : on rejoint ici la théorie de l'engagement ; quand nous sommes engagés, nous nous sentons responsables de la qualité du lien. C'est pourquoi le photographe François-Marie Banier se montrait si proche de la milliardaire Liliane Bettencourt ! Sans même la flatter, sa seule proximité avec elle lui facilitait bien des choses… financièrement parlant.

Pourquoi ça marche ?

En vertu de ce principe de familiarité et d'attachement noué entre les animateurs télé et les téléspectateurs, les programmateurs des chaînes savent bien qu'il est difficile d'imposer de nouveaux visages. Même chose pour le logo d'une marque ou le « relooking » d'un produit : les spécialistes du marketing veillent à ce que l'on reconnaisse bien le produit car il n'y a rien de pire pour un produit que de n'être plus reconnu.

Le fait de fréquenter de plus en plus souvent une personne crée des liens particuliers qui génèrent de la sympathie. Même si au premier abord nous n'avions pas d'atomes crochus, le simple fait de passer du temps avec la personne crée une proximité, une familiarité et un attachement qui finissent par engendrer de la sympathie.

Usages de la technique

Certains chefs d'entreprise passent tous les matins saluer leurs employés, non pas pour les surveiller mais pour réaffirmer la force du lien et de la familiarité qui les unit. À l'inverse, dans les entreprises où le patron est invisible, la productivité peut s'en ressentir.

Que vous soyez patron, salarié, ami, amant... n'hésitez pas à faire acte de présence ! Comme dit le proverbe : « Loin des yeux, loin du cœur. »

Même si vous n'êtes pas particulièrement bavard, affirmé ou généreux : vous êtes là. Vous pouvez, par exemple, faire partie d'un groupe sans jamais prendre la parole. L'important est que l'on vous voie. Et votre seule présence a un véritable pouvoir. Nous verrons d'autres techniques plus loin (« amitié », « petits gestes » qui travaillent aussi sur cette notion de lien).

Pour en savoir plus

Chercher à voir puis revoir régulièrement une personne c'est s'assurer de créer un climat de confiance avec celle-ci. Plus on est en contact avec quelqu'un ou quelque chose, dans des conditions plaisantes (c'est préférable), plus cette personne ou cette chose s'intégrera à notre vie naturellement.

Repérer la technique (et éventuellement s'en protéger)

Il faut se méfier des personnes qui voudraient à tout prix « entrer dans nos vies ». C'est comme cela que l'escroc Christophe Rocancourt a réussi à soutirer 700 000 euros à la réalisatrice Catherine Breillat, diminuée par un accident, à qui « il coupait sa viande » et qu'il aidait à marcher…

55

« Cher ami… »

La technique du lien amical

À partir des années 1950, les « réunions Tupperware » ont fait les beaux jours des ménagères ! La firme américaine avait compris une chose essentielle : elle vendrait davantage de petites boîtes en plastique si celles-ci étaient recommandées à leurs amies par d'autres ménagères que par des inconnus. C'est ce lien amical qui a fait la force du modèle Tupperware.

Si l'un de vos amis vous parle d'un produit, d'un poste ou de toute autre opportunité, vous aurez davantage tendance à lui faire confiance que si l'idée émanait d'un parfait inconnu.

L'amitié est une technique d'influence très importante.

C'est prouvé !

« L'appréciation et l'amitié » forment l'un des 6 principes fondateurs de la théorie de Robert Cialdini, ce célèbre psychologue américain auteur *d'Influence et*

Manipulation. Il a démontré comment la vente « multi-niveaux » (type réunion Tupperware) a d'importantes répercussions positives sur les ventes !

La technique en bref

Utilisez vos amis pour parvenir à vos fins. Pour être recruté sur un poste, faites-vous recommander. Pour vendre votre appartement, parlez-en autour de vous, etc.

Et si vous êtes un fabricant de matelas ou de disques durs, créez une *fan page* sur Internet. Misez sur la force du réseau, du relationnel et de l'amitié que peuvent tisser entre eux vos différents clients. Faites « ami-ami » avec votre *fan base* (vos clients), personnalisez la relation.

Pourquoi ça marche ?

Revenons aux fameuses réunions Tupperware. Quand une femme américaine était invitée à une de ces fameuses réunions, elle écoutait son amie qui lui vantait les mérites de ces boîtes en plastique. Beaucoup plus en tout cas que si elle avait écouté un VRP anonyme ! D'abord, les réunions se passaient chez l'ami en question. Ensuite, le lien amical entre les deux femmes créait un phénomène d'engagement très puissant.

Usages de la technique

Aujourd'hui, de très nombreuses marques vous proposent de « parrainer » vos amis. Par exemple, si vous êtes abonné au Club Med Gym (salles de sport à Paris), vous pouvez parrainer un ami, c'est-à-dire communiquer à cet ami la nouvelle offre Club Med Gym. Si cet ami s'abonne, vous serez récompensé (vous aurez une importante réduction sur votre abonnement à vous). Ce faisant, Club Med Gym mise sur l'amitié : l'entreprise utilise votre réseau amical pour faire sa pub… et augmenter son chiffre d'affaires !

En tant que personne, vous pouvez aussi largement utiliser votre réseau amical et celui de vos amis ! Sachez que nous ne sommes parfois qu'à deux ou trois points de contacts d'une personne importante (ou essentielle pour notre carrière). Vous voulez travailler dans une maison de disques ? Justement, votre ami Antoine connaît quelqu'un… qui connaît quelqu'un… qui connaît Pascal Nègre, le PDG d'Universal. Plutôt que d'écrire directement à Pascal Nègre, rapprochez-vous d'abord de l'ami d'Antoine, puis de l'ami d'ami d'Antoine. À partir de là, demandez à ce dernier de vous recommander à Pascal Nègre ou obtenez le mail (ou le téléphone) personnel du célèbre producteur. Et n'oubliez pas, quand vous contacterez le « big boss », de vous réclamer de son ami… L'amitié est une longue chaîne qui peut mener loin. Quand Pascal Nègre recevra votre appel, par amitié pour son ami, il fera au moins l'effort de vous écouter.

Pour en savoir plus

La technique du lien amical est particulièrement adaptée au domaine professionnel. En marketing, les marques systématisent la technique pour vendre plus. Mais dans le domaine de la séduction aussi, c'est toujours pratique :

— Bonjour, Camille. Tu sais que nous avons des amis communs ? Je suis un très bon ami de Marie.

— Ah, tu connais Marie ? C'est super ! Et tu t'appelles ?

— Julien, enchanté.

Dans le travail comme en séduction, se réclamer d'un ami commun est toujours une bonne entrée en matière.

Repérer la technique (et éventuellement s'en protéger)

Attention : ce n'est pas parce qu'on vous recommande quelqu'un (un serrurier ? un stagiaire ? un nouveau mec ?) que cette personne fera l'affaire. Elle est peut-être très amie avec (ou très bien vue par) quelqu'un que vous connaissez mais c'est à vous de juger sur pièce !

Et si on vous appelle de la part de votre ami Pascal pour vous proposer un abonnement au Club Med Gym, dites-vous bien que c'est une technique marketing !

56

« Quelle belle personne ! »

La technique de la beauté physique

Les Grecs rendaient un culte à Aphrodite, déesse de la beauté (Vénus chez les Romains). Depuis toujours, la beauté fascine. D'ailleurs saviez-vous que Vénus est aussi déesse de l'amour *et de la séduction* ?

Beauté rime avec séduction, et parfois avec manipulation, mais aussi avec pouvoir et argent, à l'heure où mannequins, marques de luxe et autres magazines *fashion* font tourner les têtes.

La beauté est un facteur d'influence majeur. Comment disposer d'un peu de ce formidable pouvoir ?

C'est prouvé !

En 1980, John Stewart, de l'université de Pennsylvanie (États-Unis), a démontré dans une étude que les accusés d'apparence physique agréable avaient 2 fois moins de risque d'être condamnés à de la prison que ceux avaient une apparence rebutante. Leurs peines étaient aussi, de manière générale, moins sévères. Comme le rappelle Robert Cialdini, les escrocs qui réussissent sont souvent de belle apparence.

La technique en bref

Si vous êtes gâté par la nature, vous maîtrisez la technique. Jeune (ou moins jeune) homme de haute taille, aux dents blanches, à la belle chevelure, aux muscles saillants, vous avez une technique de manipulation toute trouvée. Et vous, belle dame aux longs cheveux blonds, au teint de porcelaine, aux formes affriolantes, vous êtes aussi en mesure d'influencer une large majorité de la population (mâle).

Pour les autres ? Eh bien, disons que la beauté se travaille (opération des dents, coiffure, musculation, voire chirurgie esthétique, et bien sûr look et apparence vestimentaire, voir technique p. 11).

Pourquoi ça marche ?

Nous avons une tendance naturelle à aider les gens beaux. Nous sommes plus indulgents envers eux. C'est choquant mais c'est prouvé : les enseignants trouvent plus intelligents les enfants beaux, d'après une étude de A.H. Eagly et E. Chaiken (1993).

Dans ce IIIe millénaire, nous vivons sous perfusion du diktat de la beauté (publicités, télé, magazines...). Il est donc devenu normal, pour la majorité des individus, d'avoir plus de considération pour les personnes belles. Pourtant, on sait bien que « les beaux gosses » et les bimbos n'ont parfois rien dans le crâne : il suffit de regarder les bêtisiers de la télé-réalité pour s'en convaincre ! Cependant, ce sont toujours les beaux gosses et les bimbos qui sont choisis pour passer à la télé !

Enfin, la beauté suscite chez l'autre le désir, la passion sexuelle : un homme de 40 ans est naturellement attiré par une belle femme blonde de 25 ans, à qui il offrira tous les verres qu'elle veut... et plus encore ! Mais le pouvoir de la beauté fonctionne aussi en dehors de toute connotation sexuelle (on l'a vu).

Usages de la technique

Vous êtes plutôt beau ? On vous l'a souvent dit ? Capitalisez sur cet atout, mais n'en faites pas trop. Si vous recevez généralement un bon accueil en entretien – ou au restaurant, ou partout ailleurs – profitez de ce que la nature vous a donné. Acceptez avec humilité cet hommage rendu à votre beauté. Et si cela peut vous servir pour influencer les autres, n'hésitez pas ! En général, avec un grand sourire (cf. technique p. 11), votre beauté n'en sera que plus mise en valeur. Mais ne basez pas tout sur votre beauté. La beauté est utile dans un premier temps. Ensuite (au travail, en amour, etc.), vous devrez toujours faire vos preuves. La beauté ouvre des portes. Mais elle ne garantit pas qu'elles resteront ouvertes... à vie ! Quand on vieillit, notre beauté pâlit et il nous faut alors prendre appui sur d'autres leviers.

En revanche, si vous ne vous trouvez pas beau (belle) et que vous avez l'impression d'être passe-muraille, de ne jamais susciter l'intérêt chez l'autre, travaillez votre apparence. Souriez, habillez-vous avec soin, soyez brillant, charismatique (dans la mesure du possible). Faites tout ce qui est en votre pouvoir pour paraître « beau », c'est-à-dire remarquable. Et attirant.

Pour en savoir plus

Les femmes ont longtemps eu l'habitude de jouer de leur physique pour arriver à leurs fins, la société ne leur permettant pas toujours la même ascension que pour les hommes. Personnellement, je ne conseille pas la « promotion canapé » même si nombreux sont ceux qui – hommes et femmes confondus – doivent en passer par là pour réussir socialement. Dans le livre *Bel-Ami* de Maupassant, Georges Duroy, un homme très bien fait de sa personne, joue de sa séduction pour s'élever dans la société. Oui, les hommes savent tout aussi bien que les femmes miser sur leur beauté (sourire, visage avenant, regard concentré, etc.). Tiens, regardez Laurent Delahousse, le présentateur du journal de France 2 : chaque soir, avec ses cheveux blonds, sa mâchoire carrée et son sourire enjôleur, il séduit la France entière... et c'est précisément ce que lui demandent ses employeurs !

Repérer la technique (et éventuellement s'en protéger)

Attention : ce n'est pas parce que cette personne est belle à l'extérieur qu'elle est belle à l'intérieur ! Vous êtes peut-être aveuglé par le désir, la fascination...

Si vous êtes recruteur, par exemple, sachez prendre du recul : cette belle personne qui vous sourit n'est là que pour obtenir un poste et il faut l'évaluer avant tout sur ses compétences et non sur l'émotion qu'elle fait naître en vous ! Nous sommes spontanément attirés par les personnes belles, c'est un fait ! Sachons rééquilibrer la balance et donner aussi leur chance aux personnes moins gâtées par la nature, voire disgracieuses.

Pour vous protéger, souvenez-vous aussi de cette formule :

« C'est parce que la vitesse de la lumière est supérieure à celle du son que tant de gens paraissent brillants avant d'avoir l'air cons. »

57

« Il n'y a pas d'amour, il n'y a que des preuves d'amour »

La technique des petits gestes et des petites attentions

Vous connaissez certainement ce tube de Michèle Torr : *Emmène-moi danser ce soir* ! Dans cette chanson, elle demande à son homme de lui faire plaisir : d'oublier ses cigarettes et sa télé... et de l'emmener dîner, danser. Bref, de lui prouver son amour par de petits gestes, de délicates attentions. Pour que la relation qu'ils ont nouée se renforce et embellisse avec le temps...

C'est prouvé !

Adam Grant, professeur à l'université de Wharton, a analysé les études sur les gens qui réussissaient le mieux dans trois domaines différents : l'ingénierie, la médecine et le commercial. Les plus performants étaient ceux qu'on pouvait qualifier de « donneurs », c'est-à-dire ceux qui avaient une plus grande attention aux autres et une plus grande générosité. Les donneurs qui réussissent le mieux accordent plus de faveurs aux autres, offrent des prestations d'un niveau plus élevé, tout en préservant leurs intérêts. Ils ont tendance à nouer des relations plus profondes. Ce sont des collaborateurs de confiance, qui ont gagné la loyauté de leurs collègues et de leurs dirigeants.

La technique en bref

La technique est simple : il s'agit de se rappeler au bon souvenir de l'autre en offrant quelque chose. Si la technique de la dette (voir p. 193) est un classique, celle du don (à ne pas confondre !) est aussi essentielle. Donner, ce n'est pas forcément des fleurs ou un petit cadeau. C'est aussi du temps, un geste d'affection, un service offert *spontanément*, une invitation au restaurant...

C'est ce que l'on nomme une délicate attention, c'est-à-dire un geste qui montre à l'autre à quel point il est important pour nous. Vous avez envie de faire plaisir à votre ancienne collègue de service, que vous ne voyez plus trop depuis que vous avez changé d'étage ? Invitez-la au restaurant, à l'extérieur de l'entreprise. Vous rentrez de voyage et retrouvez trois amis que vous n'avez pas vus depuis longtemps ? Offrez-leur, à chacun, un petit cadeau rapporté de ce pays lointain. Un petit geste, une attention, c'est un acte qui embellit le quotidien, qui cultive la relation que vous avez avec l'autre. C'est comme si vous arrosiez l'amour, le lien que vous avez créé avec quelqu'un pour le préserver et le faire grandir. À l'inverse de la technique de la dette, celle des « petits gestes et attentions » n'attend rien en échange. Et surtout, elle est toujours spontanée (à l'inverse de celle de la dette qui peut être, par exemple, un service rendu sur demande en espérant que ce sera « un prêté pour un rendu »).

Pourquoi ça marche ?

« Il n'y a pas d'amour, il n'y a que des preuves d'amour » (Pierre Reverdy). Tout est dit. Nous avons besoin de preuves d'amour. Que ce soit de manière amicale, amoureuse ou même au travail tout simplement pour savoir que nous sommes estimés par les autres. Quand nous sommes les bénéficiaires de petits gestes, nous nous sentons mieux : notre plaisir grandit et nous sommes heureux d'être considérés par l'autre. Cela fait appel à quelque chose de très profond en nous.

Usages de la technique

Cette technique peut être pratiquée avec toute personne avec qui vous avez *un lien* : vos parents, votre sœur, votre frère, votre collègue que vous aimez bien, votre voisin avec qui vous avez établi des liens d'amitié.

Dans le couple, les dîners en tête à tête et les petits cadeaux renforcent la relation. Au travail, l'invitation à des déjeuners entre collègues renforce les liens professionnels. Enfin, recevoir des cartes postales de la famille ou des amis renforce les liens.

Cette technique est une façon de cultiver tous types de liens : ce faisant, vous en bénéficiez aussi, car le lien mutuel profite autant à l'autre qu'à vous.

Pour en savoir plus

Petits gestes et petites attentions profitent à votre entourage, donc à vous-même. En offrant de petits cadeaux, de petits riens de temps en temps, c'est comme si vous preniez soin de votre corps ou de votre appartement. C'est cultiver l'humanité en vous et autour de vous.

Repérer la technique (et éventuellement s'en protéger)

Sachez apprécier les petits gestes dont vous êtes destinataire, dans un esprit de totale gratuité (et non de dette). Remerciez, embrassez. Le cadeau qu'on vous fait est une manière d'honorer la personne que vous êtes et le lien que vous avez su tisser avec l'autre.

58

« Faites l'amour, pas la guerre »

Technique de la collaboration

La Chèvre, célèbre film de Francis Veber, associe un détective privé (Gérard Depardieu) à une sorte de bras cassé (Francis Perrin). De caractères totalement opposés, tous deux doivent faire équipe dans la forêt amazonienne pour retrouver une jeune femme disparue. Finalement, cette collaboration portera ses fruits !

C'est en travaillant à deux ou à plusieurs, en unissant nos forces et en oubliant nos ego que nous arrivons à faire de grandes choses.

C'est prouvé !

Le psychologue Elliot Aronson a prouvé la chose suivante : dans les écoles américaines, les élèves d'origine étrangère ont de meilleurs résultats quand un climat collaboratif est encouragé entre élèves (plutôt qu'un climat compétitif). Pourtant, on dit souvent que la compétition est une bonne chose pour avancer ! D'après Aronson, ce serait l'inverse.

La technique en bref

Plutôt que de s'opposer, la meilleure façon de gérer les autres, de « faire avec », c'est souvent de collaborer (au sens noble du terme). En France, le mot « collaboration » est hélas ! connoté de manière négative, à cause de la période noire de l'Occupation. Pourtant, être un *coworker* (en anglais), c'est être un collaborateur : un co-travailleur.

En faisant preuve de bonne volonté, d'engagement, d'empathie, en étant « bon camarade » et en collaborant pleinement aux objectifs de l'équipe (ou du binôme), vous avez de fortes chances de vivre une relation positive. Un peu de souplesse ne nuit pas ! Bien au contraire. En réalité, la majorité des collectifs humains fonctionnent sur la collaboration volontaire des individus. Si nous n'étions régis que par des obligations, des rapports de force ou des conflits, rien ne se ferait. C'est bien parce que les humains collaborent volontairement que des choses avancent : en réalité, tout travail nécessite collaboration, sauf peut-être celui de l'écrivain, solitaire à sa table d'écriture... Et encore ! Une fois publié, il doit collaborer avec son éditeur, son attachée de presse, etc.

Pourquoi ça marche ?

L'être humain est un animal social, grégaire. Il a profondément besoin de se sentir relié aux autres, mais pas seulement sur le mode des sentiments et de l'affectivité : il a aussi besoin de travailler avec les autres. Le travail en équipe est à la base de toute société humaine.

Les animaux chassent en meute, les fourmis construisent des fourmilières... La nature regorge d'exemples de collaboration positive, même entre espèces différentes ! Pensez aux hérons pique-bœufs, qui nettoient la peau des bovidés, ou aux poissons-pilotes qui accompagnent, des kilomètres durant, les terribles requins sans jamais se faire croquer !

Usages de la technique

Même quand les ego ont du mal à accorder leurs violons, la collaboration est possible. La victoire solitaire est belle, mais elle est meilleure quand elle est partagée. N'hésitez pas à multiplier les exemples de collaboration : lors d'un déménagement, à la maison en cuisine ou pour le ménage, en aidant vos enfants à faire leurs devoirs... et bien sûr au travail, lieu même de la collaboration en tant qu'association des êtres et de leur savoir-faire vers un but commun !

À l'école, le professeur a tout intérêt à ce que les élèves collaborent lorsqu'ils doivent préparer et présenter des exposés devant la classe.

Au travail, même s'il y a des luttes de pouvoir, l'entreprise fonctionne mieux si les collaborateurs... *collaborent*, justement !

Pour en savoir plus

Collaborer, c'est échanger. En fait, c'est appliquer un bon nombre de techniques que je vous ai enseignées tout au long de cet ouvrage : sourire, boire un café, écouter, se synchroniser avec l'autre, faire preuve d'autorité ou d'humilité, être bien habillé, ne pas hésiter à reformuler les propositions de l'autre...

Une collaboration peut durer des années, à tel point que certains collaborateurs disent parfois : « On est comme un vieux couple. » L'inspecteur de police et son adjoint, le créateur de mode et son mécène, le journaliste audiovisuel et son réalisateur, le pharmacien et sa laborantine, etc.

Bien sûr, toute collaboration (surtout en groupe) est aussi régie par des rapports d'autorité (un chef, des sous-chefs, etc.). Mais quel que soit leur échelon dans l'entreprise, tous doivent, idéalement, être engagés vers un but commun et chacun doit donner de sa personne.

Repérer la technique (et éventuellement s'en protéger)

On vous propose de collaborer avec une ou plusieurs personnes. C'est le bon moment de ranger votre ego et de vous retrousser les manches !

Bibliographie

AZZOPARDI Gilles, *Manuel de manipulation. Pour obtenir (presque) tout ce que vous voulez !*, J'ai lu, 2010.

— , *Les Secrets de la manipulation efficace. Techniques de manipulation pour rester maître de sa vie*, J'ai lu, 2013.

BRICOUT Bastien, *Devenez mentaliste*, J'ai lu, 2011.

— , *Kit hypnose*, J'ai lu, 2012.

CIALDINI Robert, *Influence et Manipulation. Comprendre et maîtriser les mécanismes et les techniques de persuasion*, First, édition revue et augmentée, 2004.

EKMAN Paul, *Je sais que vous mentez*, J'ai lu, 2011.

HIRIGOYEN Marie-France, *Abus de faiblesse et autres manipulations*, JC Lattès, 2012.

JOULE Robert-Vincent et BEAUVOIS Jean-Léon, *Petit Traité de manipulation à l'usage des honnêtes gens*, Presses universitaires de Grenoble, nouvelle édition, 2004.

MESSINGER Joseph, *Ces gestes qui vous trahissent*, J'ai lu, nouvelle édition revue et illustrée, 2011.

SCHOPENHAUER Arthur, *L'Art d'avoir toujours raison*, Mille et une nuits, 2003.

Remerciements

Je tiens à profondément remercier mon éditeur, Ahmed Djouder, pour la confiance qu'il m'a témoignée et son professionnalisme.

Par ailleurs, je remercie chaleureusement Julien Thèves, dont la collaboration a été précieuse.

Pour finir, je remercie Philippe pour ses contributions régulières au site mentalactif.com ainsi que Christopher, Christophe, David et Maxime.

Liste des techniques

9 – « Florian, je comprends tout à fait ce que tu veux dire » : *La technique du prénom*

10 – « Chuchoti, chuchota » : *La technique du « parler bas »*

11 – « Vous auriez l'heure ? » : *La technique du pied dans la porte*

12 – « Tu me prêtes 2 000 euros ? » : *La technique de la porte au nez*

13 – « Oui, oui, oui, oui… et oui ! » : *La technique du « yes set »*

14 – « Petit, petit, petit… viens par ici ! » : *La technique de l'amorçage*

15 – « Attention ! Ouf, tout va bien… » : *La technique de la crainte-puis-soulagement*

16 – Toucher n'est pas jouer : *La technique du toucher*

17 – « Vous êtes libre de refuser… » : *La technique de l'illusion de liberté*

18 – « Toi qui es si généreux… » : *La technique de l'étiquetage*

19 – « Et dans un instant, mesdames et messieurs… » : *La technique du pied en l'air*

20 – « Un dessert ou un petit café ? – L'addition ! » : *La technique du choix illusoire*

21 – « Pauvre de moi » : *La technique de la victimisation*

22 – « Tu es un incapable ! » : *La technique de la persécution*

23 – « Allez, alleeeez, alleeeeeez, dis-moi oui !!! » : *La technique de l'insistance*

24 – Pour vos beaux yeux : *La technique de la distinction (ou de la faveur personnelle)*

25 – Grrr, Grrr, GRRR ! : *La technique de la colère*

26 – « On a plein de points communs, c'est fou ! » : *La technique des points communs*

27 – « Je vous trouve très beau » : *La technique de la flatterie*

28 – « Tu serais un amour si... » : *La technique de l'éloge conditionnel*

29 – « Je suis ta sœur, quand même ! » : *La technique des liens familiaux*

30 – « Si tu fais ça, j'en mourrai ! » : *La technique du chantage affectif*

31 – « Attention ! Sinon... » : *La technique de la menace*

32 – Suivez mon regard... : *La technique des sous-entendus*

33 – « Il paraît que tu quittes ton boulot ? » : *La technique du piège*

34 – « Après tout ce que j'ai fait pour toi » : *La technique de la dette*

35 – « C'est le tout dernier exemplaire, vous l'achetez ? » : *La technique de la restriction*

36 – « D'après une étude scientifique... » : *La technique de la preuve d'autorité*

37 – « Déjà 200 000 exemplaires vendus ! » : *La technique de la preuve par les autres*

38 – « Nous sommes moins chers que nos concurrents » : *La technique de la comparaison*

39 – « Quelqu'un m'a dit... » : *La technique de la rumeur*

40 – L'opium du peuple : *La technique de la nouvelle croyance*

41 – « T'es cap ou t'es pas cap ? » : *La technique du défi*

42 – « Raconte-moi une histoire » : *La technique du storytelling*

43 – « Dis-moi tout ! » : *La technique de l'écoute*

44 – « Fuis-moi, je te suis... » : *La technique de l'indifférence*

45 – Parce que... : *La technique de la justification*

46 – « Qui peut le plus, peut le moins » : *La technique du 80/20*

47 – « Comme ça sent bon, par ici... » – *La technique de l'odeur*

Bienêtre

10474

Composition
NORD COMPO

Achevé d'imprimer en Slovaquie
par NOVOPRINT
le 23 septembre 2013.

Dépôt légal septembre 2013.
EAN 9782290074831
OTP L21EPBN000313N001

ÉDITIONS J'AI LU
87, quai Panhard-et-Levassor, 75013 Paris
Diffusion France et étranger : Flammarion